マーガレット・ハウエルの「家」

# MARGARET HOWELL HOUSES

# THE STORY OF MY HOUSES

私の家

マーガレットが1988年に子供達と3人で暮らし始めた家。ソファやカーテンも伝統的な花柄を選んでいる。写真は1989年の初取材の時に撮影したもので、娘のミリアムが11歳、息子のエドワードが8歳の頃。

私が生まれたのは、ロンドンのすぐ南に位置するサリー州の田舎町です。人生最初の家は、'30年代に建てられた、三角屋根に出窓のある小さな一軒家で、それは両親が初めて手に入れた家でした。

　私達一家は、その後ヨークシャー州のリーズで2年間を過ごし、1955年にサリーに戻ってきて、その際両親は新築の家を購入しました。当時は戦後の建築ラッシュで、その家も地元の大工さんが建てた、ごく一般的ななんの変哲もない3ベッドルームの一戸建てでした。私が9歳の時のことです。3姉妹の一番下の私は、すぐ上の姉ジーンとふたりで、ずっと1部屋を使っていました。

　この新築の家に越してすぐ、両親は庭に芝生を敷き、ちょっと珍しい石で敷石の通路を作りました。シルバーバーチ（樺）を植え、ブナの生け垣を作って、私達がのびのびと遊べる庭にしてくれました。事務弁護士をしていた父は、庭に菜園を作り、野菜や果物を育てていて、私達はそれはそれは父の"作品"を楽しみにし、たくさん食べたものです。この本に載せるために、子供の頃の家の写真を探していたら、実際にまた見てみたい気持ちに。とうの昔によその住人が住むようになった家を訪ねてみると、よく木登りしていたシルバーバーチが少し大きくなっていたこと以外は、昔と変わらない姿で、そこに残っていました。

マーガレットの生まれた家。三角屋根、レンガ使い、出窓、というイギリスの伝統に即した作り。最近、撮影のために訪れると、窓枠以外は当時のままだったそう。

　'50年代の半ば、建築家だった父の弟、デヴィッド叔父さんが、私に建築やデザインというものの存在を気づかせてくれることになりました。叔父は、変化を好まない古い土地柄のサリー州に、自分の家族の家と、私の祖父母の家を設計・建築しました。私はこの2軒を訪ねるたびに、明るく開放的な作りや、動線が考慮された間取りに感嘆し、同時期の建築にもかかわらず、箱型でおもしろみのないわが家との違いを考えさせられました。祖父母も、それまで住んでいた、外観は白いのに中は暗く陰気なヴィクトリア時代（19世紀）の家に比べて、明るく実用的なデザインの今度の家を、新鮮に心地よく感じている様子でした。

　ある日、叔父はわが家のダイニングルームを変える素敵なプランを考えてくれました。その目的は「庭の景色と光を取り入れる」、方法は「壁2面に窓を開ける」。

　これが実現した時の家族の興奮といったら！　その日から一気に、そのダイニングは使いやすい、家族全員の一番好きな場所に変わりました。みんなでこの部屋を「ロングルーム（長い部屋）」と呼んで（実際に長くなったわけではないのですが、庭も部屋の一部のように感じられたので）、いつも集まっていたものです。その時、私は設計やデザインの力をはっきりと意識しました。叔父の図面台の引き出しにしまわれた、青写真の設計図が放つ、すっぱいような刺激的な匂いは、私の設計やデザインに対する憧れの気持ちを、強くかき立てました。

1955〜68年までマーガレットの家族が住んだ家。1982年に訪れた時に撮った写真には、父親の作った菜園と、その奥にいつも走り回った芝生が見えている。

サリーの家を出てロンドンの美大に進み、専攻はファインアートでしたが、授業の一環でバウハウス（1919〜33年にモダンデザインの提唱で注目を集めたドイツの建築・デザイン学校）やル・コルビジェ（20世紀前半から半ばに主にフランスで活躍した建築家・家具デザイナー）など、モダンデザインについてもたっぷりと学びました。20歳の頃の私は、その美学を尊敬はしましたが、実際に魅かれるのは花や鳥など自然をモチーフにしたウィリアム・モリスのテキスタイルであったり、職人技を駆使した建築、温かみのあるデザインなどでした。

その後、ファッションデザインの仕事を始めるようになってからも、手織りのハリスツイードやアイリッシュリネンなど、素材感やぬくもりの感じられるファブリックが、ずっと私の心をとらえ続けていました。

自分の店を持ち、結婚して子供ができ、そのふたりの子供と私の3人で暮らすことになった時、私は迷わずエドワディアン（1901〜10年のエドワード7世時代）の伝統的スタイルの家を選びました。これが私が買った最初の家で、1988年のことです。壁を柔らかなトーンの白に塗り直し、古い椅子にはウィリアム・モリスの布を張りました。自分自身の安心できる、イギリスの伝統的なぬくもりのある世界が、子供達との暮らしに必要だと感じていたのだと思います。

この家はロンドン中心部への交通の便のいい場所にありながら、周辺には大きな公園や、低木のヒースに覆われた手つかずの空き地もあり、テムズ川の岸辺まで歩け、まるで郊外のような雰囲気があります。20年近く、住みながら少しずつ自分らしく改装を続けてきました。あまりお金をかけず、こつこつと時間をかけて。いつまでたっても完成にたどり着きませんが（そのうえ自分の志向も変わってきてしまったのですが）、やはり、私にとって愛着のある自宅です。

# THE STORY OF MY HOUSES

アーコール製品のリプロダクトやその背景を紹介するため、2003年、マーガレットはデザインノートと呼ぶリーフレットを製作。バタフライチェアのモノクロの写真に、細い書体を載せたモダンなデザインが目を引く。

デスクライトのアングルポイズのエキシビションを行った時のデザインノート。写真は最新の「TYPE3」モデルで、マーガレットがオーダーした別注カラーのペールターコイズの色が製品名のロゴ部分に使われている。

2002年、ウィグモアストリート・ショップで『ロバート・ウェルシュ展』を開催。写真は1962年デザインのホバート・キャンドルスティックという名の鋳物のキャンドルスタンド。マーガレットの依頼でこの時に復刻された。

1996年、子供達が独立しつつある時期に、オープンハウスの催しを知り参加しました。年に一度9月の週末に、ロンドンの有名無名のさまざまな建築や住居を見学できる文化イベントです。いくつかの家やオフィスを回ると、私は、自分がモダン建築ばかりに魅かれていることに気づき驚きました。ある有名建築家の近代的オフィスを見学して帰宅すると、そのまま本棚から『バウハウスと新建築』という本を出して、読みふけりました。学生時代に何度も読み返したペーパーバックが、30年ぶりに新鮮な共感を持って胸に飛び込んできたのです。

　それからというもの、私は、モダンなデザインの家や家具、道具に魅かれていくようになりました。モダンデザインというのは、基本的に"デザインは外見をよく見せるためにするのではなく、その道具の機能・目的のためにする"ものであるのです。例えば、アングルポイズ（P.34）のデスクライトは、シェードに電球を装着しないと、そのシェードの位置をキープできません。精巧な計算のもとにシェードの形や重さまでデザインされています。

　そういったモダンデザインの多くは、私が子供時代を過ごしたミッドセンチュリー（20世紀中盤。特に'50〜'60年代）に誕生し、その後埋もれたり、忘れ去られていました。今、当時のスタイルを象徴しながらも、時代を超えたクラシックなデザインとなり、変わらぬ存在感を保ち続けています。

　初めてアトリエを持った時に、母から譲り受けたアーコール（P.22）の椅子。当時はただのありあわせのつもりでしたが、今になって背中のカーブに合う背当ての形や、丈夫さ、スタッキングの機能、リーズナブルな価格、それらすべてを兼ね備えたうえの"機能美"が理解できます。またロバート・ウェルシュ（P.54）のステンレスのテーブルウエアやキッチン道具など。そんな「イギリスの忘れ去られたいいもの」をもっとみんなに知って欲しいという気持ちで、私はメーカーに働きかけ、過去の製品の復刻を実現したり、新しいショップで紹介のためのエキビションを行ったりしています。

　5年前、私は'60年代に建てられた、光の入るモダンなデザインのセカンドハウスを手に入れました。実は、ロンドンっ子がみんな夢見るように、私も、田舎に伝統的なカントリーハウスを持つことを長年思い描いてきました。今でも、木々に囲まれた古いコテージで、花柄のソファに座って紅茶とケーキを楽しむような、ほっとできるイギリスの伝統的価値観を、大切に思っています。ただ、子供の頃、シルバーバーチの植えられた家のダイニングに叔父が窓を開けてくれたように、今、私の心にもモダンデザインに対する窓が開けられています。新しい価値観の明るい光が、私に射し込んでいます。

2005年には『スパンハウジング（P.90）展』のエキビションも。スパンハウス社によって、'50〜'70年代を中心に各地に作られた集合住宅で、機能的なモダン設計の好例としてマーガレットは高く評価している。

# CONTENTS

**2** 私の家
## THE STORY OF MY HOUSES

**8** サフォークの海辺の家で始まった、新しいインテリアスタイル
## SECOND HOUSE IN SUFFOLK

**24** インテリアデザインの発信地になった、ウィグモアストリート・ショップ
## WIGMORE STREET SHOP

**36** 好きなものを一つずつ集めた、心やすらぐロンドンの家
## FAMILY HOUSE IN LONDON

56 暮らしに彩りを添える、休日の心豊かな時間
# INTERESTS, PASSIONS, PURSUITS

68 信頼する年上の友人フィオナの、雑貨あしらいの光る部屋
# FIONA'S AESTHETIC

84 訪れるたびに刺激を受ける、友人達の5つの家
# FIVE MODERN HOUSES

110 おわりに
# POSTSCRIPT

# FAVOURITE DESIGNS

22　アーコール　　ERCOL
34　アングルポイズ　　ANGLEPOISE
54　ロバート・ウェルシュ　　ROBERT WELCH
66　ミッドウィンター　　MIDWINTER
82　デンビー　　DENBY

# SECOND HOUSE IN SUFFOLK

# サフォークの海辺の家で始まった
# 新しいインテリアスタイル

5年前、マーガレットは念願のセカンドハウスを手に入れました。
それは、ロンドンの自宅から車で2時間、海まで半マイル（約800m）。
食料品店もパブもない、小さなひなびた町にあります。

シンプルで無駄のない、でも意思を感じさせるスクエアな外観。
6軒が連なったテラスハウスでありながら、独立性が高く、
戸建て感覚で暮らせる設計。室内はと言うと、
玄関を入ってすぐに大きなリビングがあり、
壁一面に広がる窓の生み出す開放感。
どの部屋も明るく、そして工夫のある使いやすい間取り。
ミッドセンチュリー、'60年代に建てられたこの家を、
マーガレットは少しだけ改装し、そして家具を置きました。

思い立ったら、いつでも家を出て、海に向かいます。
波の音を聞きながら、海岸をどこまでも散歩。
戻ってきたらお気に入りの椅子に座り、庭の向こうの木立で、
鳥達が奏でる音を聞きながら読書。
休日ごとに訪れるこの家で、マーガレットの新しい日々が始まっています。

# 海の近くで過ごす、
# 子供の頃と同じような生活

海岸線に沿って、ナポレオン時代（19世紀初頭）、第一次・第二次大戦の各時代に、海岸警備のために建てられたタワーがポツリポツリと。マーガレットの好きな光景の一つ。

## LIFE BY THE SEA

　駅まで車で私達を迎えに来てくれたマーガレット。セカンドハウスにまっすぐ戻らないで、まずはご自慢の海を案内してくれることに。
「近くの海の中でも、魚を買いに行く海、泳ぐ海、散歩する海岸、いろいろあるのよ。一番近い海で、家から歩いて10分ぐらいね。自転車で行くことも多い。すぐそこに漁港を備えた小さな島があって、時々渡し舟で向こう岸に行って、ドーバーソール（平目）やキッパー（鰊）を手に入れるの。その時は2人分のお金を払って、自転車も船に乗せるのよ」

　沼地の広がる海岸で島を眺めていたら雨が降ってきたので、車に戻って自宅方向へ。途中、農道の入口にちょっと車を止め、いつものお散歩コースの一つ"静かな海"に向かうことに。マーガレットに、腰辺りまで力強く伸びた、黄色い花の名前を聞くと「ワイルドセロリよ。こっちはシーキャベジね」と即答。モグラの穴も見つけて教えてくれます。子供の頃から、自然に親しんで育ったことが伝わってきます。

　そしてブラックベリーのイバラの草むらを抜けると、アンバー（琥珀色）の小石の海岸へ。誰も人のいない、波の穏やかなグレーの海が目の前に現れました。小雨にけぶっているせいか、終わりが見えないほど長い海岸線が続きます。

　波打ち際を歩きながら、流れ着いたいろいろな色や形や堅さの石、貝殻、海藻や、浜辺に生えている小さな植物を次々と触ってみるマーガレット。なんだか、そのテクスチャーが、想像どおりであることを確かめているかのように。イバラの下に見つけた野ウサギの頭蓋骨もトンと触って確認。

「去年は、5月から10月の終わりまで海で泳いだの。たいていは朝食前にね。ここでは、子供の頃の夏休みと同じような、健康的で気持ちのいい生活ができるのがうれしいわ」

　時には、誰もいない秘密の海岸で、裸になって泳ぐのも、子供の頃と変わらない習慣です。

ここもマーガレットのお気に入りの場所で、奥に広がる沼地をよく散歩する。潮風に当たりながら咲く黄色のワイルドセロリがあちらこちらに。この対岸に魚を買うために船で通う、小さな島がある。

（左）農道からの眺め。どこまでも平らな土地が続いている。畑で採れるのはポテトやトマトなど。
（中）浜辺で板状に割れる石を拾い上げて、ちょっと力を込めてみる。
（右）アンバーの小石が敷き詰められた階段。ブラックベリーのイバラはマーガレットの背丈よりずっと大きい。

# TERRACED HOUSE

屋根が平らで、開口部が広く、ミッドセンチュリーの匂いを感じさせるスクエアでモダンな外観。左に見える生け垣に沿って家を回り込むとカーポートがあり、その屋根部分だけが隣の家のリビングとつながっている。テラスハウスとしてはかなりプライベート度の高い作り。

「子供の頃、いつもふたりの姉達とプリムローズを海辺で摘んだのよ」。隣にはムスカリも顔を出している。庭の奥がこんもりとした小山になって、素朴な花が咲いている。

庭には、前の住人の残していったコテージとさまざまな植物が。木は、花も実も楽しめるプラムや梨、クラブアップルなど。足元には、この地域に多い水仙とプリムローズ。

リビングのすぐ前にレンガで小さな花壇を作り、ハーブを植えている。天気のいい日の朝食やランチは、この手前に小さなテーブルを出してゆったりととるそう。

# 子供達と通った町で偶然出会った
# テラスハウス

近くの農道は、いつも野菜や卵を買いに行く農家にも、海にも通じている。

　海岸や農道の散歩から戻ると、マーガレットはアウトドアブーツを脱ぎ、黒いレザーのコンバースにはき替えながら、私達を家に招き入れてくれました。
「どこでも好きなところに座ってね。お茶は何がいいかしら」
　外はイギリスならではの霧雨模様なのに、窓の大きい開放的なリビングは庭の緑がまぶしいほど。この国の伝統である、窓が小さめで少なく、一部屋一部屋が細かく仕切られた間取りの家とは、かなり違った印象です。
　雨がやんだのか、鳥のさえずりが聞こえてきたのに誘われて、リビングから庭に出てみます。プラムの木の下まで行って、振り返って家を眺めると、ミッドセンチュリーの建築の特徴である、平らな屋根、すっきりとスクエアな箱を組み合わせたような構造、1階の床から天井まで続く広いガラス窓、コーナー窓などが、印象的な姿を見せていました。

　セカンドハウスの場所はロンドンの自宅から車で北東方面に2時間、サフォーク州の海岸沿いにあります。サフォークは、マーガレットいわく「ちょっと地味で見捨てられたような州」。いわゆる名物と言えば、海と豚肉ぐらいで、別荘地としてはまったく知られていないそう。
「なにしろ車か自転車で隣町まで行かないと、パンも買えないのよ、でも近くの農家で、どこよりも新鮮な野菜と卵は買えるのだけれどね」

　このテラスハウスは'60年代にスイス人の建築家が設計、建築。建築家は中の1軒に家族と住み、他の5軒をセカンドハウスや住宅として友人らに販売しました。現在でも、隣はそのスイス人建築家の娘さんがセカンドハウスとして使っています。今も古びない、ミッドセンチュリーのモダンな佇まいは、50年近くたってすっかり町になじんでいるとは言え、このカントリーサイドでは異彩を放っています。マーガレットの家の郵便受けにも、ロンドンの若いカップルから、家を売って欲しいという手紙が入っていたこともあるそうです。

　マーガレットがこの家と出会ったのは、まったくの偶然から。'90年代前半に、マーガレットはここから100mほどの貸しコテージで、4回も子供達と長い休暇を過ごしました。初めは知り合いの紹介で借り、そのうちにロンドン在住のオーナー一家と親しくなり、自由に使わせてくれるように。その当時もこの町に来れば毎日3人で周辺を歩いたり、自転車で走り回っていたのに、なぜかこのテラスハウスの印象がまったくないのだそう。
　子供達が独立して、久しぶりに、このコテージでひとりで休暇を過ごそうと思いたったマーガレット。コテージから散歩に出る際に、斜め向かいのモダンなテラスハウスに気づきます。興味を持って近づいた2001年のある日、"for sale（売り家）"の看板を見つけました。
「子供達と一緒の時には目に入らなかった建物が、突然、きらきらと輝いて目の前に現れたの。自分がモダンデザインに興味を深めている最中だったから、この素敵な家の魅力に、とうとう気づくことができたのだと思うわ」

# 広い窓、
# 明るく開放的な設計に
# 魅了された日

暖炉は床からではなく、壁の途中の位置から作られている。サイドのベージュのレンガ、床の赤いレンガ、暖炉の炉床と脇の棚の少量のコンクリート使いなどが、ミッドセンチュリーの時代ならではの意匠。柔らかさと力強さを感じさせるデザイン。

「まず外観でピンときて、別の日に中を見せてもらったら、すぐに、ここで暮らしてみたい、と直感したの」

最初に魅かれたのが、玄関を入ってすぐに広がるリビング。一面が窓になっていて、庭がまるでリビングの続きのように身近に感じられたことです。実はイギリスには、南向きの家がそう多くなく、その分人気も高いので、なかなか出会うことができません。

「この窓は真南に面していて、広いでしょう。最初の冬に実感したのだけれど、日当たりがよくて本当に暖か。春に芽が出て花が咲き始めて、木に実がなって、秋の紅葉や落ち葉。庭とその向こうの木立の季節の移り変わりを、いつもいつも眺めていられるのよ」

それから、リビングを出て他の部屋に進んでいくと。

「どの部屋にも大きな窓があって、作りがのびのびとしていて……。室内が隅々まで明るくて、実際よりも広く感じられることにも感激したの」

リビングに連なるセミクローズドのキッチンは、北向きの窓があるほか、リビングの明るい光が入るため、朝から十分な明るさ。朝から夕方まで、キッチンに立つたびに気分がいいそう。そして、

1階のもう1部屋の書斎にはコーナー窓があり、ここからの庭の眺めもマーガレットのお気に入りです。

「こういう心地よく暮らせる、よく考えられた設計は、ミッドセンチュリーのデザインの特徴だと思うの。ただモダンに見せるためにデザインしたのではなくて、使いやすさ、心地よさを追求した結果、生まれたデザインなのね。初めてここに来た日にも、それを感じたけれど、住み始めてからは、もっと実感したわ」

マーガレットいわく、このテラスハウスは'60年代の英国建築の好例で、6軒のユニットがそのまま残っていることも、今ではとても珍しいのだそう。

ミッドセンチュリーを色濃く表すデザインは、プレーンな室内の作りにもあります。例えば、ラジエーターが置かれていない、なにもない一面の白壁があるのはこの時代ならでは。また、フローリングは組み木状になっていて、ラジエーターの代わりに床暖房がついています。ブルーだったのをマーガレットが白く塗り直した天井にも、もともと暖房が埋め込まれていました。部屋自体が、すっきりとした四角い箱型にできているから、住人は苦労することなく、自由な位

置に家具などを配置できるのです。

そこに加わる意匠としては、例えば暖炉の回りの少量のレンガあしらい、書斎のプライウッド（ベニヤ板）の壁など、シンプルだけれど、温かみのあるモダンさが特徴。冷たくない、シャープ過ぎないテイストは、マーガレットがこの時代の建築を好む理由の一つでもあります。

デザイン以外で気に入ったのは、家のほどよい大きさです。1階はリビング、キッチン、書斎。2階はマーガレットのベッドルームと来客用のベッドルームが2つに、ストックルームなど、小ぶりの部屋が並びます。そして小さなバスルームもフロアごとに備わっていました。

「大き過ぎて手に負えないほどでもないし、私がひとりで1～2週間過ごしたり、たまに子供達や友人が泊まりに来るのに、ちょうどいいサイズでしょう」

そしてマーガレットがこの家の購入を決めた最後の後押しになったのは、

「やっぱり、この町を昔から知っていた安心感ね。お店の場所や周辺の自然環境、それから知っている人もいくらかいて。ここに通うようになって、地域の催しや文化活動にも参加して、今ではすっかり自分が町の一員だと感じているのよ」

# LIVING ROOM

広々としたリビングは白い壁にウッドブロックのフローリング。庭を眺めながらマーガレットが座っているのは元夫が20年間愛用していたのを少し前に譲り受けたアルヴァ・アアルト(フィンランドの建築家・家具デザイナー)のイージーチェア。「この前、椅子のクリーニングに出してみたら、すっかりきれいに蘇ったの!」。テーブルはアーコールのもので、2000年にアンティークショップで購入。同時に椅子も買い、アーコールの魅力にはまっていくきっかけになった。

# FURNITURE AND COLOURS

床から天井までの6枚のガラス窓とドアが続くリビングの南面。食事の時も庭やその奥の木立と一体感が感じられる。窓にはナチュラルウッドのブラインドをかけている。前の住人から譲り受けた長さ調節可能なダイニングテーブルに、アーコールのウィンザーシリーズの椅子を合わせている。

# 家が自然に導いてくれた「家具」と「色使い」

　この家の前の持ち主は、長く教育関係の仕事をしていた90代の老婦人。ここを設計した建築家の友人で、建った時からずっと住んでいました。一人暮らしが困難になり老人ホームに居を移し、家族がこの家を売りに出したのだそう。

「彼女は建築家の意思を尊重して、あまり内装を変えていなかったのね。それもあって私もいくつかの補修はしたけれど、それほど内装を変えなかったのよ。

　それとね、彼女の使っていた家具は、とても雰囲気がよかったの。ダイニングテーブルと書斎のソファベッド。どちらもこの家の建った'60年代頃のデザインで、家にしっくりと合っていて。それで、処分しないで譲ってもらうことにしたの」

　マーガレットがこの家を購入したのは、ちょうど、ロンドンの新しい旗艦店、ウィグモアストリート・ショップの内装に取り組んでいた時期とも重なります。

「私がモダンなスタイルに魅かれていった時なので、どちらの内装を考えるのもとても楽しかった。この家からも、新しいショップからもインスピレーションをもらったし、家具や雑貨、飾り方に対する好みも、この家自体から自然に導き出されたところもあると思うわ」

　自分の中で「モダンだけれどクラシックなデザイン」と思えるアーコールの椅子やロバート・ウェルシュの道具などを、一つ一つ、家との相性を考えて選んで置いていきました。すでに持っていたものもあるし、アンティーク市で歩いて見つけたものも、そして人から譲ってもらったものも。置いてみたり使うことで、新たな家具の魅力にも気づきました。

「ああ、この椅子は、こういう床に映えるんだなあ、とか一つで置いても佇まいがいいなあ、とか。安定感があって座りやすいことなども、実際に使ってみてよくわかったの。ミッドセンチュリーならいい、このメーカーなら、このデザイナーなら、というわけではない。やっぱり使いやすくないと。ただ、長く愛用されてきたもの、残っているものは、使いやすくて、目的に合ったデザインをしている、と今では確信しているのだけれど」

「この家の物選びで一つ気をつけているとしたら、色使いかしら。以前はインテリアにあまり色を使おうと思わなかったけれど、今はこの白い壁の部屋に色をうまく使っていきたいと思っているのね」

　その分、よく考えて選ばないと落ち着かない部屋になってしまう危険も。

「シーズンごとのファッションデザインもそうなのだけれど、カラーグループを考えて選んでいるのよ。例えば、このリビングはベースとして、白い壁に、赤みのあるブラウンのフローリング、ブラインドは自然のままの木の色。それで後ろのキッチンの収納棚に、ミッドセンチュリーの器などによく使われた黄緑とイエローを使ってみたの。そして同じカラーグループの萌黄色の肘掛け椅子を置いて、黄色が描かれたポスターを飾って。このフロアのアクセントカラーは、自然と渋めのイエローからグリーンに絞られているわね。そういう、きかせ色だけでなくて、例えば暖炉の上の陶器は、トーンを抑えたグレーがかったベージュだけれど、これもこのカラーグループと合う色だと思う。注意深く周囲を見て、微妙な色の組み合わせを楽しんでいるのよ」

(左)リビングの北面はラジエーターなどの置かれていない一面の白壁で、最近棚を取り付けたばかり。棚は1959年から続くドイツのシェルフシステムメーカー、ヴィツゥーのもの。「ここにはテレビやサウンドシステムを置くつもりなの。システマチックにできているので、じっくり考えて、ぴったりのサイズを注文したのよ。暖炉と同じように、下が浮いているのがいいでしょう?」
(中)デンビーのベースとガラクタ市で買ったデンマーク製キャンドルスタンド。
(右)暖炉の上には魔法瓶を思わせるシェイプで'60年代に人気だったというJ&Gミーキンの茶のポットとロバート・ウェルシュの鋳物のキャンドルスタンド。

# この家で、一番好きな場所

(左)ガラクタ市で見つけた船の絵は、窓の高さに合わせて側面に配置。(中左)窓のフレーミングとデンビーのフラワーベースの影が美しい。下のソファのグリーンとフラワーベースのグリーンがかった黄土色の配色も考えられている。(中右)マーガレット自身がこの近くで撮影したオークの林。静かだけれどドラマチックな雰囲気。(右)「この家のイメージにぴったり」のソファは、来客時にベッドにもなる。

マーガレットに家の中で一番好きな場所を尋ねると、返ってきたのは「書斎がその一つね」という答え。

書斎は、玄関を入ってすぐ右側、リビングから庭に直角に突き出した位置に。
「ここのコーナーウインドーが、とにかく素晴らしいの。2面ともほぼ上から下までガラスなので、いつも庭全体を感じながら仕事ができるのよ。少し離れたところに小学校があって、時々休憩時間の子供達のはしゃぎ声が聞こえてくるのだけれど、平穏が脅かされると感じる前の15分ぴったりで教室に戻るから(笑)、ちょうどいい気晴らしになるわ」

マーガレットがこの家で過ごすのは、夏休みや年末年始などの長い休暇と連休。そしてふだんの週末も、しばしばひとりで車を運転して通っています。あわただしいロンドンの生活から離れ、デザインのアイデアを練ったり、資料を読み込んだり、文章を書いたり。じっくりと落ち着いて、ひとりでする仕事を持ってくることが多いのだそう。セカンドハウスにいっさい仕事を持ち込まない、とするのではなく、この家の空気感が仕事にもインスピレーションを与えてくれることを、積極的に楽しんでいる様子です。

さて、このコーナーウインドーにかかるグラフィカルなカーテンはスウェーデンのテキスタイルデザイナーのもの。部屋の壁や床と色がしっくり合っています。
「そのうえ最初から、丈もぴったりだったのよ！ 偶然チャリティショップで見つけたから値段もとても安かったのに、しつらえたみたい。すごくラッキーでしょ」
とちょっと自慢げです。

また、デスクの右側の面はすべて、この時代の内装デザインによく見られるプライウッドの壁になっています。
「壁が木で覆われていること自体がとても新鮮。テープを貼っても、ペンキがはがれる心配がないから、写真をたくさん貼ってみることにしたの。この部屋で、私はいろいろな飾り方を楽しむのよ」

愛用の古いニコンのカメラで撮ったオーク(樫)の木のモノクロ写真を、横1列にしてみたら、おもしろい味わいに。この方法はショップのディスプレイで思いついたものを応用したそう。

また、西側の壁は隣の家のリビングと近いため、窓は高い位置に小さなものが一つあるだけです。
「ぽつんと切り抜かれた感じの窓のフレーミングが素敵でしょう。奥行きがあるので、小さなフラワーベースを置いて、額縁の絵のように見せているのよ」

壁の手前にある前の持ち主から譲り受けたソファもお気に入りの一つです。
「色や雰囲気がこの部屋にとても合っている。この家の最初のインテリアイメージを作るうえでも役立ったわ。こういった家具がなければ、私はもっとたくさんの家具を、一から考えて探さなくてはならなくて、大変だったと思うわ」

このミッドセンチュリーテイストが詰まった部屋は、ふだんは書斎として、そして、マーガレットのディスプレイの実験場として活躍。さらには、前の住人が部屋の脇に、小さなバスルームを増築していたおかげで、独立性の高いゲストルームにも変身します。
「去年の年越しには、この部屋と、上の2つのゲスト用ベッドルームが全部来客で埋まったの。みんな田舎で過ごす休暇が好きなのよねえ」

# STUDY

デスクはアルヴァ・アアルトのもの。デスクトップが白い色違いのタイプを、ロンドンの自宅キッチンで昔から愛用している。椅子はチャールズ・イームズ（20世紀中頃に活躍したアメリカの建築家・家具デザイナー）のオフィスチェア。デスクライトは'70年代のアングルポイズ。カーテンだけでなく、家具も雑貨も、アンティークマーケットやチャリティショップで見つける。マーガレットは、目利きゆえに賢くいいものを手に入れることが上手。

# これから、この家で

「キッチンは大き過ぎず小さ過ぎず、ちょうどいい大きさでしょ。すごく使いやすくできているのよ」

少々改装したのは、リビングとの境にあるカウンター付収納棚の位置を右の壁側にずらしたこと。それから現代の家電のサイズに合わせてカウンタートップの奥行きを広げるついでに、カウンタートップと収納棚の地の色を変えたことです。

「元は地色がブルーで扉とトップが白だったのを、地色を黄緑に、トップをイエローに変えてみたの。それ以来、ここからリビングのカラーグループも考えるようになった。やってみたら、イエローが食器の色を引き立ててくれる効果もあって、おもしろい味が出たと思うわ」

料理は、その日に食べるものをその日に作るのを旨としているマーガレットは、冷凍庫も電子レンジも持ちません。だから、すべての高さがキッチンカウンターに揃っていて、それはすっきり。パッパ、パッパと迷いもなく、あちこちの扉から食器やらお茶の葉っぱやらを出す様子がリズミカルです。

「収納棚もシンプルで使いやすくできているのよ。リビングとの境の棚にカウンターがあるから、できた料理を出す時も、片付けの時も便利。この収納棚は、キッチン側にもリビング側にも扉が付いていて、いつも使う食器を、ここにしまっておけば両方から出し入れできる。当時としては画期的だったと思うわ」

さて、2階に上がるとマーガレットのベッドルームと来客用ベッドルームなど、コンパクトな部屋が並んでいます。

「どの部屋にも形のいい窓が付いているでしょう。外の風景がこの窓で切り取られると、ますます魅力的に見えるの!」

内装は白い壁に白い天井、ウッドブラインドと梁が自然なアクセントに。

「2階にはあまり色を使っていないので、温かみを出したくて、床を絨毯にしたの。茶や白の羊の毛を染色せずに、そのまま毛糸にした絨毯なのよ」

これからの家の計画をマーガレットに尋ねると、リビングに冬用のラグを見つけること、それから、冬に暖炉の前で

(左)白くコンパクトなバスルーム。蛇口やドアノブもプレーンで美しい。
(右)ゲスト用ベッドルーム。この窓の形は2階の各部屋共通で、マーガレットいわく「とても形がいいから、そこからの眺めが、より素敵に見えるの」。丸いテーブルは、アルヴァ・アアルトのもの。

(上)すっきりとした白壁に、ステンレスのバーを取り付け、スチール製のキッチン道具だけをかけている。
(下)リビング側の窓際には、ロバート・ウェルシュのトーストスタンドとソルト&ペッパーセットが並んでいた。
(左)イエローのカウンタートップの上に、やはり'60年代頃のブルーのパイレックスのボウル。「お互いの色を引き立て合っていていい感じねえ」とにっこり。室内が白と茶ベースなので、懐かしげなさし色が生きる。

キッチンでてきぱきと立ち働くマーガレット。手前のリビングと、右側にある窓から光が入り、いつも明るい。右手前の収納棚は、建った当初から、キッチンからもリビングからも食器を出し入れできる作りになっていたそう。

ゆっくりできるようなソファか寝椅子を手に入れること、の2つがあがりました。

「あとは、そうね。もっともっと自然の中の暮らしを堪能したいわ。

夕暮れに海辺を歩いて、鳥の声を聞いて。帰ってきたら、少しワインを飲んで、簡単な夕食を作って食べて。心地よい椅子で本を読む。次の日に起きたら、まず海に行って泳ぐでしょう。戻ったら大きなマグカップでたっぷりコーヒーを飲むの。ふふ。朝食の後は、書斎でしばし仕事ね。

そうやって、ひとりでいる時間も楽しみたいし、たまに友人や子供達が来るのも、また楽しい。

ラブリーな生活だわ」

## KITCHEN AND BEDROOM

（左）ベッドルームの作り付けのワードローブもマーガレットのご自慢。「扉には目立つ取っ手がないから、とてもシンプル。でも合わせ目の部分にさりげなく出っ張りがあって、実は開けやすい作りなの。そして開けると扉の内側に細かな収納ポケットがあったり、姿見が内蔵されていたり、本当によく考えられているのよ」
（中）マーガレットのベッドはプレーンな白。窓際に、父親の学生時代の記念写真が飾られている。
（右）マーガレットのベッドルームに置いてあった、アーコールに魅了されるきっかけになったスタッキングチェア。カーテンは、子供の頃自宅にもかかっていたルシアン・デイ（ミッドセンチュリーを代表するイギリス人のテキスタイルデザイナー）のプリント柄。2階の床には温かみのある白混じりの茶の絨毯を敷いている。

## FAVOURITE DESIGNS 1

# ERCOL アーコール

## 体に沿う曲げ木の椅子

「私がアーコールの家具を初めて買ったのは確か2000年。当時のオフィスからほど近いジャンクショップで、丸いコーヒーテーブルを一つと、状態のいいスタッキングチェアを2〜3脚見つけて、ふっと吸い寄せられるように近づいていったのを覚えているわ」

　アーコール社は1920年創立の家具メーカー。創設者のルシアン・アーコラーニは、1888年にイタリアで生まれ、20世紀初頭に家族で渡英、イギリスで家具デザインを学びました。そして、当時からイギリスの椅子作りの中心地であった、ロンドン北西部の緑豊かな街、ハイ・ウイコムに工場を興します。蒸気で堅い木を曲げる曲げ木の大量生産技術を確立。1947年、曲げ木技術を使い、後にイギリスの椅子のスタンダードとなるウィンザーシリーズを発表します。

「アーコールの椅子は、私が子供の頃には、どこの家庭にもある、ありふれたものだったの。もちろん私の家にもあったのよ。私が'70年代に自分のブランドをスタートしたばかりの頃、母がキッチンで使っていたアーコールチェアを1脚くれたの。私はそれを、アトリエで働くシャツの縫い子さんの椅子にした。今でも、その椅子はロンドンの家のキッチンにあるわ。でも子供の頃も、ファッションの仕事を始めた頃も、私はそのよさに気づかなかったのね。うちの子供達もそうだったけれど、子供の頃は、いいものを当たり前に与えられても、その価値に気づかないものなのねえ」

　アーコールの椅子がスタンダードになっていった時代は、第二次大戦後で急激に人口が増え、家も物も必要だった頃。大量生産のプロダクツが数多く作られました。

「自分の子供の頃に、革新的なデザインと実用性を兼ね備えた素晴らしいものがたくさんあったんだ、と気づいたのが'90年代後半。そんな頃、アーコールの家具と再会したのよ」

　今もアーコール社は大きな家具メーカーとして現存しますが、ノスタルジックな気持ちをかき立てられたミッドセンチュリー時代の椅子は、今世紀の初めには世間から忘れ去られ、ユーズド物をコツコツと探すしかありませんでした。そこでマーガレットは、アーコール社に、スタッキングチェアとバタフライチェアの復刻を申し入れ、2003年に、それが実現するのです。

「欲しかったのは今風に変えられたデザインではなくて、私がユーズドで見つけたまま、両親が家で使っていたままのものなの」

　このことは、イギリスの新聞などでも広く取り上げられ、マーガレットがファッションだけでなく、モダンブリティッシュデザイン全体の案内役、目利きとして尊敬されるようになるきっかけでもありました。また、この2脚の反響の大きさを受け、翌年、ベンチやキッチンテーブルなど3種類を新たに復刻させます。

「今、セカンドハウスでもロンドンの家でも、いくつか当時のアーコールの椅子を使っているの。無駄のない美しいデザインはもちろん、丈夫さや、座り心地も魅力。私の暮らしに欠かせないものなのよ」

マーガレットのセカンドハウスにあるスタッキングチェアは1957年のデザイン。アーコールに魅かれていく端緒になった1脚。このモデルを元にしてリプロダクトを依頼。軽量で丈夫で、シンプルで美しい作り。また何脚でも垂直に重ねられる。堅いブナ材で作られた背当ては、蒸気の力で、背中にしっくりくるシェイプになっている。

# WIGMORE STREET SHOP

# インテリアデザインの発信地になった
# ウィグモアストリート・ショップ

マーガレットがセカンドハウスを手に入れ、その改装や家具選びに
取り組み始めた、ちょうど同じ頃、マーガレット・ハウエルブランドの、
ロンドンにおける新旗艦店の準備が進んでいました。
ショップの建物に出会ったのが2000年。
設計と内装施工に1年半をかけ、2002年の春にオープン。
マーガレットが大切に手をかけ、愛情を注ぐ
マーガレット・ハウエル　ウィグモアストリート・ショップが誕生しました。

場所は買い物客でにぎわうオックスフォードストリートの
裏手にあるウィグモアストリート。
歩道に面した重いガラスドアを開け、天井の低い、ほの暗いエントランスを
数歩行くと、目の前が急に開けます。
その先には明るく大きなショップが広がり、
高い天井に、山型の天窓が一直線に伸びています。
「この天窓を見た時、ここなら魅力的なショップが作れそう、と思ったの。
ずっと洋服以外のもの、雑貨や家具など、ライフスタイルにかかわる
新しい提案をしたいと思っていて、広い場所を探していたのだけれど、
とうとうこんな素敵な建物に出会えたのよ」

当時はマーガレットがモダンデザインの魅力にどんどん引きつけられ、
新しい活動や表現を強く希望していた時期。
ショップのオープンに合わせ、30年間ほぼ変えなかったブランドのロゴを一新。
散歩するカップルの絵のついたクラシックな筆記体から、
ギルサンズというイギリス生まれのモダンな書体に。
ショップのオープンは、ブランドイメージが
変化していく、大きなきっかけにもなりました。

# 細長いギャラリーのような店内

ウィグモアストリートを歩くと、キッチンやバスなどの内装設備の店や、プロ仕様の収納のショールーム、調剤薬局などを見かけます。マーガレットいわく、百貨店の多いオックスフォードストリートに対してウィグモアストリートは"専門店の多い通り"なのだそう。もともとこの辺り一帯の広い土地をフランス系の地主が所有していたため、おいしいレストランやパン屋さんも充実しています。

「ショップの場所を探している時に、なにより大切だったのは、建物の広さや作りなの。ここには十分な広さがあって、天窓の作りもおもしろかった。ショッピングの中心地から遠くないし、少しだけ、このショップのために足をのばしてくれる、そんな場所であることも気に入ったのよ」

ショップは、伝統と人気を誇るコンサートホール、ウィグモアホールのすぐ隣。歴史的建造物に指定されているヴィクトリア時代（19世紀）の建物の1階に位置しています。

「建築制限があって、手を加えられない」という外観には、中央のガラスドアの両側に左右対称にアーチ型のショーウインドーが並んでいます。向かって左には服が、右にはこの日はプールの磁器のフラワーベースなどが展示されていました。この2つのウインドーのディスプレイも、モダンでグラフィカル。いつ覗いても、その時々のマーガレットのメッセージが伝わってきます。

マーガレットは、設計を依頼した新進建築家のウィリアム・ラッセルとさまざまな打ち合わせを重ねながら、じっくりとショップの内装を作り上げていきました。

「この場所は、元はインテリアショップが入っていたのだけれど、わざわざ天窓の一部を低い天井で覆っていたのよ！　もったいないわよねえ。私は、覆いを全部取り除いて、まず、この天窓を楽しもうと思ったの」

建築家によると、建物の構造上、エントランス部分の天井が低いのは避けられないのだそう。そこで、あえてその部分の照明を暗くして大きなレジカウンターだけを設置。そうすることで奥のショップの天井の高さや明るさを強調しました。また、この建物は実はもう少し右側にスペースがあるのですが、そちらを壁で仕切り、天窓がショップの中央に位置するように箱作りをしています。そして右の壁の奥には試着室やストックルームをまとめました。

「天窓を生かす空間をまず作って、次にじっくり考えたのがライトのこと。いろいろ悩んで、結局、天窓に沿ってランプシェードをぶら下げることにしたのね。1列に並べてみたら、奥行きが強調されて、想像以上にいい雰囲気になったのよ」

昔からのイギリスの定番であるアルミのランプシェードを選択。外側だけにマットなグレーを塗ってみると予想以上に、モダンなイメージに仕上がりました。

ちなみに当初は床もPタイルで覆われていたそう。こわごわはがしてみたところ、なんと100年以上前の素晴らしいコンディションのフローリングが現れました。ところどころ傷んでいた部分だけ、少しずつ色みの違う木で補修。継ぎはぎ風にしたのも、マーガレットが気に入っているアイデアです。

「白い壁と木のフローリングに、天窓と1列のランプシェード。これがこの空間のベース。いろいろなディスプレイが楽しめて、展示物が映えるギャラリーみたいになったでしょう？　いつでも新しいディスプレイにトライできるように、備え付けの什器は一つも置かない。自由に楽しんでいるのよ」

大・小のデパートの点在するオックスフォードストリートと平行して2本北側に走るウィグモアストリート。歴史を感じさせるレンガ造りの建物が並ぶ。しゃれた店の多いメリルボーン・ハイストリートも近い。

ショップのオープンと同時に、ブランドのロゴをモダンなデザインに変更。ショップの裏側はウィグモアホールの楽屋入口に面しているので、時々、店内やオフィスにオーケストラの練習の音が聞こえてくる。

# GALLERY

ショップ入口側から奥を見る。中央の天窓に沿ってグレーのランプシェードがまっすぐに。

# ショップの右側に、モダンデザインの家具・雑貨をディスプレイ

　明るく細長いショップにはたくさんのレディースとメンズの服のほか、イギリスのモダンデザインの家具や雑貨が並んでいます。店の入口から見て、右の壁際にインテリアを中心に1列、左の壁際に服を中心に1列、中央のラインは、たくさんのテーブルの上に雑貨類。すっきりと整然と、細長い店内にラインを作ってディスプレイされています。

　まず店の右側の面を見ると、奥からアングルポイズのライト、プレスルームへの入口のドア、全身鏡、試着室、'50年代のチェスト、インテリアスタッフのオフィスのドア、全身鏡、'60年代のカップボード、ストックルームのドア、ミッドセンチュリーの椅子が4脚、といった具合。合間合間には他の椅子も。

　商品は、どれもマーガレットが興味を持ち、デザインが優れていると感じ、世間から忘れられていた家具や雑貨。もっと知って欲しいと思い、自分で見つけたり、メーカーにリプロダクトを持ちかけたり。今では20世紀の家具の専門家もスタッフに加わり、ユーズド物の仕入れも本格的に行っています。

　ユーズド家具は、厳しいセレクトの目で仕入れ、きちんと修理をして店に出すので人気が高く、入荷してもすぐに売れてしまうことが多いとか。例えば、家具を探している時に、有名インテリアショップのものだと、どこの家具か誰からもわかってしまうのがいや、でもアンティークマーケットを回って、状態のいいミッドセンチュリーの家具を見つけるのも難しい。そんなふうに感じているカップルなどが、期待を込めていいものを求めてやって来るのだそう。

　マーガレットは、このショップで、アーコールの椅子、アングルポイズのデスクライト、ロバート・ウェルシュのステンレスのテーブルウエア、スパンハウジングの集合住宅建築などのエキシビションを行ってきました。

　「ショップがギャラリーのようだから、ふだんの商品のディスプレイだけでなくて、企画ものの展示もやりやすいの。明るくて大きな白い壁にシンプルなフローリング。どこでも自由な発想で場所が使えるでしょう。椅子を縦に積み上げてもいいし、パネルを横1列にたくさん並べてもいい。服の売り場が左の壁際のバーにまとまっているので、エキシビションのために販売中の服を片付ける必要もないしね（笑）」

　そういった、イギリスの過去のいいものを見つけて復刻させたり紹介してきた活動は、イギリスで高い評価を受けています。マーガレットはファッションだけでなく、建築・インテリアにおけるブリティッシュデザインの案内役として尊敬を集める存在に。そのため、ウィグモアストリート・ショップは、建築家やデザイン関係の顧客がとても多いのだそう。プロ達が、マーガレットにインスピレーションをもらいに集まってくるのです。

**1**　**2**　**3**

1. 壁に沿って、余裕を持って置かれた家具や雑貨。中央のペールターコイズのアングルポイズのライトは、彼女のコラボレート製品。

2. この中に試着室が3つ。一つ一つが広く、子供や家族が座って待てる椅子も。右の扉の中は、インテリアスタッフのオフィス。

3. 左の椅子はマーガレットが復刻したアーコールのバタフライチェア。背の高いプレーンな全身鏡があちこちに置かれている。

# RIGHT SIDE DISPLAY AREA

**4**

このキャビネットなど、一点物のユーズド家具も、ディスプレイに利用しつつ販売。左端には、ロバート・ウェルシュのライトが。

**5**

左の2脚は'60年代のコンパクトな住居に合わせた小ぶりのキッチンチェア。左から2番目は、その名もブレックファーストチェア。

# オフィスはショップの奥。いつでも顔を出せる幸せ

　細長いショップの突き当たり、白い壁の裏手に回るとマーガレットのオフィスがあります。そちらは、ほどよい横長の長方形。レディース、メンズ合わせて10人ほどのデザインチームが明るく清潔な部屋で働いています。オフィスにも天窓と大きな窓があって、それはそれは素晴らしい環境。ちなみに、マーガレットが静かな落ち着いた話し方をするからか、デザインオフィスはいつ行っても静か。早足の人は多いけれど、大声で話すスタッフはいません。
　「オフィスとショップが同じ場所になったのはうれしかったわ。プレスルームやバイヤーや営業部門まで、ロンドンスタッフが大勢ここで働いていて、それぞれの部屋やショップを自由に行き来している。すぐにミーティングができるし、社内に活気があるのよ。
　それと、いつでも店に行けることがやっぱり大きかったわね。前は店と離れていて、たまにしか覗けなかったの。今のように店が身近だと、ファッションのデザインにしろインテリアのセレクトにしろ、ショップ空間に影響されることも多いと思う。私にとって、このショップは本当に大切な存在なのよ」

　マーガレットはしばしば店に顔を出し、ディスプレイを並べ替えてみたり、商品のチェックをしたり。店内がすいていたら、時には打ち合わせだって、売り物のテーブルの回りでやってしまいます。
　「服も、家具や雑貨も、いつでも店内の商品が見られるのがうれしいし、新しく届いたものを見ると、またこう並べようかな、とかアイデアが湧いてくる。思いついたらすぐに試せるのもいいの。ディスプレイによって、見え方もまったく違ってくるでしょう。
　それから、お客さんの反応を間近に見られるのも興味深いわ。オフィスで働いていて、ちょっと子供の声がしたら店を覗いてみたりするのよ。どんなお客さんがどんな気分で来ているのかしら、何に関心を示しているのかしらって。ちらっと見るだけでも楽しくて」

店内のテーブルで、打ち合わせがスタート。インテリア雑貨のバイヤーで、マーガレットのブレーンのひとりでもあるジョー・バーバーと、撮影したばかりのイメージ写真をセレクト中。テーブルはアーコール。椅子はイギリスの公共施設などの大量生産用椅子のデザインで知られるロビン・デイ。「全部売り物だけれど、試着中の妻を待つ夫が、座ったりしてもかまわないのよ(笑)」

# 中央のラインは大きなテーブル、左のラインには服のバー

　ちょうど天窓の下あたりの中央のラインには、赤・白・グレーの天板の大きなディスプレイテーブルがたくさん置かれています。ほとんどは入口から見て垂直の向きですが、時々縦向き、そして、いくつか差し込まれたユーズドテーブルは斜めに配置されています。このディスプレイテーブルは、建築家が内装に合わせてデザインしたもの。マットな素材感の木の天板に、工事現場の足場に使うような鉄パイプの脚を付けた、プレーンでモダンなデザインです。

「このテーブルを使ってフレキシブルにディスプレイするのよ。服や雑貨の並べ替えだけでなく、月に何回もテーブルや家具自体の配置も変えるの。そのたびに引っ越しのような大移動。まっすぐ置いたり、斜めにしたり。お客さんは来るたびにテーブルの間を一つ一つ見て歩けたらわくわくするでしょう」

　置いてある雑貨は、色の美しい磁器のプールのカップ&ソーサーやロバート・ウェルシュのカトラリーやキャンドルスタンド、そして、現代の工房のトレイなどさまざま。

「ミッドセンチュリーにデザインされたものが多いのだけれど、ユーズドばかりではないのよ。ユーズドも、当時から今までずっと生産されてきたものも、復刻品も、テーブルを分けたりしないでテイストに合わせて並べている。最近生まれたデザインの中からも、道具として使いやすくて機能美を感じるものを見つけては置いているのよ」

　店に入って左側は、手前がレディース、奥がメンズの服のコーナー。壁際にずーっと渡された長いバーに、たくさんの服がかかっています。その合間にアクセントになっているのが、リプロダクトやユーズドの椅子やテーブルなど。ところどころに家具と白い壁の作る空間があることで、見た目にも気持ちよく、今見ていたバーから、次のバーに移って服を見るのがますます楽しみになります。このショップでは、服と家具はお互いを引き立て合っているようです。

## CENTRE DISPLAY AREA

**6** 店の突き当たり。この壁の奥が、マーガレットやデザインチームのオフィス。肘掛け椅子は1966年の工業デザイン賞受賞作。

**7** 左手前はケント州の工房産のビーチ材のまな板。右手前はロバート・ウェルシュの今も脈々と作られているステンレスのサーバー。

**8** テーブル右はアングルポイズの最近の普及版、タイプ75。左のチーク材のデスクトレイは'60年代に作られたオフィス用品。

**9** ユーズドの椅子とサイドテーブル、ストライプのラグを並べ、家庭のくつろぎスペースをイメージ。

**10** スタッキングトレイはドーセット州の工房のもの。他はロバート・ウェルシュのクルミ割りなど。

**11** ソックスやサンダルなどレディースの小物は、白いテーブルの上に整然と。木のトレイも重要な小道具。

［エントランス］

入口からすぐの天井の低いエントランス。(左)長いカウンターの手前に、マーガレットおすすめのアートやテキスタイル、インテリアなどの本が置かれている。奥側がゆったりと広いレジ。(右)ロバート・ウェルシュのポットなどが並ぶ棚。

**14** ペンギンドンキーという名の白いコンパクトな収納家具。バーの服の下に靴がポツンポツンと。

**15** アーコールのソファの幅に合わせて、写真を1列に。ところどころに空間を取って、のびのびと展示。

**16** アーコールの復刻第2弾で作ったトリオという名の入れ子のテーブルセット。フレキシビリティが魅力。

**12**　透け感のある白いシャツは、白ではなくグレーのテーブルの上に。テーブルの色の効果も十分に考慮。

**13**　プールのツイントーンの器はアーコールのテーブルの上に。テーブル自体も店に対して斜めに配置。

# LEFT SIDE DISPLAY AREA

**17**　服のかかるバーの合間にアーコールの椅子が。スタッキングチェアを、垂直に3脚重ねて置いている。

**18**　バーの最後はメンズの服。その奥にロビン・デイやアーコール。服も家具も楽しめるディスプレイに。

FAVOURITE DESIGNS 2

# ANGLEPOISE アングルポイズ

## 技術から導き出されたデザイン

「子供の頃、私の勉強机には、黒いアングルポイズが置いてあって、その光の下で、何時間も宿題や復習をしたものだわ。あれをどこにやってしまったのか、今になってとても残念なの」

　アングルポイズはデスクライトの元祖と言われる照明器具。考案者のジョージ・カワーダインは1887年に生まれ、自動車会社のチーフデザイナーとして活躍した後、1924年に自身の会社を興します。得意の車のサスペンション技術を利用して、スプリングと重量のバランスで、思いどおりの位置にシェードを留められる画期的なライトをデザイン。特許を取り、上質なスプリングメーカーと組んで、1934年に本格的に生産をスタートさせます。マーガレットが使っていたのは、カワーダインがさらに改良を重ねて1935年に発表した、小型で軽量のモデル「1227」。ベースの部分が四角の2段重ねになった、今では"アングルポイズの原型""象徴的デザイン"と言われる貴重な型だったそう。

「アングルポイズは電球を装着しないとシェードのバランスが取れないほど、精巧な均衡を保っているの。きれいに見せるためにデザインされたのではなく、技術から導き出された形だということに、私はモダンデザインの素晴らしさを感じるのよ」

　2005年、マーガレットは、アングルポイズとのコラボレートで、その2年前に大きくリニューアルされたモデル「TYPE3」の別注カラーを発表します。ペールターコイズは、子供の頃に使っていた「1227」モデルに当時あったカラーバリエーションの中の1色。考案者カワーダインへのリスペクトを込めて、マーガレットが選んだ色です。

　一方、現在セカンドハウスでは、1970年にデザインされた「APEX90」というモデルの白のユーズド品を見つけて愛用中。この時期にベースは丸くなり、シェードは細長いデザインになっています。
「アングルポイズは、いつの時代もカワーダインの考えを踏襲している。シンプルで機能的でありながら、流線的でモダンなルックスを保っているでしょう。そのブランド哲学も、私は尊敬しているの」

マーガレットがセカンドハウスの書斎で使っている「APEX90」モデル。ガラクタ市で見つけた古いものだけれど、電球を装着して、今もシェードの位置を自在にキープできる。

35

# FAMILY HOUSE IN LONDON

# 好きなものを一つずつ集めた
# 心やすらぐロンドンの家

ロンドンのテムズ川の南側、グリニッジの森からもほど近い
静かな住宅街に、マーガレットの自宅はあります。
彼女は、1988年にこの家を手に入れ、
10歳のミリアムと7歳のエドワードと3人で暮らし始めました。
少しずつペンキを塗り、棚を取り付け、家具を揃え、
そして、気に入った雑貨を手に入れては、
部屋の中の"ふさわしい場所"を見つけて置いていきました。
こうして何年もかけて、マーガレットは
心地よい空間を生み出していきます。

私達は、この家を1989年、'93年、'98年、と撮影のために3回訪れました。
最初は引っ越しの翌年で、まだペンキ塗りのすんでいない部屋も
多かったのですが、徐々に改装が進み、
家具やファブリックが整い、雑貨のあしらいなどが変化していきました。
ただ、いつ行っても家の中はマーガレットのイメージそのもので、
揺るぎのない"圧倒的なセンス"というものが感じられました。

ここでは、'90年代の2回の取材の写真を年代を交えてセレクト。
子供達とのぬくもりのある暮らしを大切にしていたマーガレットの、
こだわりとセンスが色濃く伝わる部分を切り取りました。
洗練されたナチュラルスタイルの、作られ方が見えてきます。

# 初めて見た時、
# 平和な印象がしたエドワディアンの家

1993年当時のリビングは、カーテンもソファも花柄で、ノスタルジックな印象。ソファの横に置かれたライトスタンドは拾ったのだそう。その頃、破いたような服を発表しては話題になっていたブランドに引っかけて「マイ・コム・デ・ギャルソンよ(笑)」

　ロンドンの街中から車で約20分。テムズ川を南に渡って到着したのは、品のいい静かな住宅街。通りにはイギリスの伝統的な2軒続きの一戸建て、セミデタッチドハウスが並んでいます。棟ごとにデザインは違いますが、すべてが約100年前に建てられたエドワディアンスタイルの2階建て。マーガレットの家は白い壁で、グレーのレンガの三角屋根から煙突が2本出ているのが見えます。
　もともとはダークグリーンだったのを、ペールグリーンに塗り直したという玄関のドアを開けて、マーガレットがにこやかに顔を覗かせました。

「元気でしたか？　紅茶かコーヒーはいかが？　パンやクッキーもあるわよ」
　毎回家を訪ねると、マーガレットはまず私達のおなかのすき具合を心配してくれます。この日も、最初においしい紅茶を入れてもらい、ほっとひとごこち。

　マーガレットの自宅は1階にリビング、ピアノのあるレセプションルーム、キッチン、ユーティリティルーム。2階にマーガレット、ミリアム、エドワード、それぞれの寝室。さらにバスルームという間取り。ちなみにマーガレットの寝室にはボックスと呼ばれる納戸が付いています。

建物の奥にバックガーデン(庭)のある、ごくごく一般的なイギリスらしい作り。
「初めてこの家を見た時、とても平和な感じがしたの。特別立派でもスタイリッシュでもないけれど、子供達との暮らしにぴったりだと思ったのよ」
　今ではマーガレット・ハウエルのデザインチームの一員であるミリアムは、家から独立して暮らしていますが、当時は、まだ姉弟とも小学生。優しく温かいイギリス伝統のテイストを生かした暮らしが必要、とマーガレットは考えたそう。
　マーガレットのぬくもりのある家作りが、ここからスタートしました。

# EDWARDIAN HOUSE

1998年には、カーテンもソファも無地に。ライトはスタンドを生成りに塗り、シェードをプレーンなものに交換。ソファの上の壁に棚を作り、雑貨などを飾っていた。ソファに座って会話をすると、マーガレットがどんどんリラックスしていく様子が伝わってきた。

# FOUND BARGAINS

大きな木箱には、リネン類を収納。木箱の上の壁に、5つの木製フレームを飾り、床と壁を含めたトータルなディスプレイを考えている。フレームの中の絵も、アンティークマーケットなどで見つけたものが多い。

# お金をかけずに、いいものを上手に見つけるセンス

マーガレットに、家にある家具や雑貨などを、どこで買ったのか聞くと、「ジャンブルセール（ガラクタ市、慈善バザー）よ」とか「カーブーツセール（車の後ろに積んできた荷物を広場などで売る古物市）よ」などという返事がかえってくることの多いこと。聞かなくても、これは、どこそこで見つけて、いくらだったの、と自己申告してくることも。例えば、リビングの淡いグレーのカップボード。

「教会で使われていたものが放出されて、たったの100ポンド（当時約1万6000円）だったのよ！ 素敵じゃない？ プレーンなデザインで、色が魅力的で、大きさもこの部屋にちょうどいい。職人さんが作ったしっかりとした品質でこの値段なんて、本当にいい買い物でしょう」

と、自分の仕事ぶりに満足げです。

カップボードの上のフラワーベースはバザーで見つけたもの、リネンを入れている大きな木の箱はユーズドショップで購入、古い絵の具の木箱もアンティークマーケットで見つけたそう。

マーガレットは、そういったガラクタ市やユーズドマーケット、チャリティショップなどを見て回るのが大好き。

「マーケットには、素敵なものが潜んでいるから（笑）。価値が理解されなくて捨てられてしまった掘り出し物を見つけ出すのが楽しいのよ。でも、マーケットだからといって必ずすべてが安いわけじゃない。いいものを見つけても、それに対する金額が高過ぎると感じたら、買わないわ。物の価値と、値段のバランスも、きちんと見極められないとね」

「最近は忙しくてあまりマーケットに行けないの」と言いながら、いつも戦利品を見せてくれるマーガレット。家にあるものは、むやみに買ったものなんてない。一つ一つ、無駄なお金をかけず時間をかけて、見つけ出され、選ばれたものなのだ、ということがわかります。

（上）絵の具の入っていた木箱はアンティークマーケットで発見。「こんなに細かい正確な仕切りを作るのには、職人さんの高い技術が必要だと思うの。人の手で、ていねいに作られた感じに魅かれるのよ」。手前の、レモンを入れた和のお皿は日本の骨董市で購入。
（中）やはりアンティークマーケットで見つけたカップ＆ソーサーをブックエンド代わりに利用。
（下）教会の放出品だったカップボードは、鏡と2つのライトを利用し、ほぼ左右対称な飾り方に。フラワーベースの中の枯れかかった花に「こういう状態も、風情があって好きなの」

## 上質なものは、使い込むほどに味わいが出る

　マーガレットのベッドルームは、壁も暖炉も、窓枠も白く塗られていました。
「やっぱり白い部屋の気持ちいい空気感は、何ものにも代え難いわね。広く感じられるし、置いたものも映える。ベースが白なら、加える家具や雑貨の色調を、後から変えていくこともできるし。ここの白いペンキはオイスター ホワイト ライトという色を選んだの。少しだけグレーがかっていて甘くない。落ち着いたいい部屋に仕上がったと思うわ」

　また、ベッドリネンやタオル、バスローブなどのファブリック類も、すべて白で統一されています。
「リネンは、やっぱり清潔な白でなきゃ。特にベッドリネンは、昔から真っ白なアイリッシュリネンが好き。上質なものは価格も高いけれど、何年も使い続けるほどに、なじんで肌触りがよくなるでしょう。古くなっても"本物"なら味わいが感じられる。シルクに似せた化繊は、使い込むとみすぼらしくなるけれど、本物のシルクやリネンは、古くなっても、ますますいい風合いを保つものね」

　家具に対しても同じ考えを持っています。上質な素材のしっかりした作りの椅子なら、月日がたって、たとえ表面に小さな傷が増えても味わいは増します。

　マーガレットのデザインする服や自身の着こなしに、しばしば上質のカシミアやハリスツイード、ヌメ革などが使われるのも、それが"本物"で"高品質"だからだ、ということがわかります。

# WHITE LINEN

ベッドルームは、白ベース。元はダークグリーンだったのを白く塗った暖炉の上には、白いフラワーベースなどを飾っている。裸婦のデッサン画は、マーガレットの描いたもの。この右手前に大きな木製のワードローブが一つあったが、基本的にふだんの洋服収納は、それ一つだそう。"本物"を大切に愛用する姿勢がうかがわれる。

高さ調節が可能な金具を取り付け、板はサイズに合わせてカットしてもらった。紙箱はロンドンでも人気のMUJI（無印良品）のもの。

小学校で使われていたデスクを窓辺に置き、仕事や書き物などは、通りを眺めながらここですることが多い。黒いイームズの椅子は、現在ではセカンドハウスの書斎で使われている。

床のカーペットは、家具の色にも近いベージュ。白いルームシューズが、ミッドセンチュリーの子供用の曲げ木の椅子の脇に置かれていた。実はこの椅子の上にも、庭の雑草を生けていた。

## 木の色と黒をきかせた洗練された色使い
## NATURAL WOOD WITH BLACK AND WHITE

　ベッドサイドの壁には棚が設置されています。金具で自由に高さ調節のできるタイプで、棚板はメープルの分厚い一枚板。やや薄めの木の色が白い部屋にしっくりと合っています。

　ここに置いてあるのは、ファッションやインテリアの白い背表紙の雑誌類。こまごました書類を入れた無漂白の紙箱、黒いフレームのモノクロの写真。それから愛用の古いニコンも革ケースは黒。床には黒いフレームのモノトーンの絵が飾られています。そして近くに取り付けたライトのシェードも黒。

　全体的にモダンで洗練された印象で、使われている色がかなり限定されていることに気づきます。

「ここは私専用の部屋だし、改装の時期が遅かったこともあって、すっきりとした雰囲気にまとめたかったの。白い壁に、家具の木の色とカーペットのベージュ、それから黒い小物を少しだけ加えているのよ」

　ちなみに窓際の木のデスクは小学校の放出品だったそう。

「子供のいたずら書きが残っていて、見るたびにかわいらしくて笑ってしまう」

　こんな素朴なデスクでも、色が絞られた部屋の中に置き、黒い革のイームズの椅子を合わせることで、なんだかモダンに見えてきます。

　さて、この日はデスクの上に、イギリスの夏の野原の風物詩、パープルのバタフライブッシュが飾られていました。暖炉の上にはやはりラベンダーなどパープル系の花が数種類さしてあります。

「部屋の色数を絞っておくと、こういう、はっきりした色の花が映えるでしょう。最近強い色の花を楽しんでいるのよ」

（左）シェーカースタイルの店で見つけたフックを、バスルームの壁いっぱいの長さに設置。あれこれたっぷりかけられる。
（中上）バスタブの上の木製の小物置きは、古びていい雰囲気に。石鹸や軽石、タオルのきっちりした並べ方も新鮮。
（右上）収納棚の上の珊瑚とアンティークのビンは、12歳当時のエドワードが、マーガレットの誕生日に贈ってくれたもの。
（中下）カーテンが花柄なので、ここにはいつも庭で摘んだ雑草や葉物を飾る。

# HANGING AND ARRANGING

## 「かける」「並べる」「置く」
## 表情豊かな物の配し方

　マーガレットの家に感じるセンスは、雑貨や布の配置の妙によるところも大きいようです。例えば、このバスルーム。入口脇にある木のフックには、バスタオルやローブ、洗濯物を入れる巾着袋などが、いくつも無造作な雰囲気でかかっています。違った表情の白いファブリックが並ぶ様子は、何気ないのに心魅かれます。

　一方、バスタブに渡された木製の小物置きには、石鹸や軽石が整然と置かれています。さらに洗面台の上には、タオルを敷いたトレイにブラシが数本並んでいる、という具合。こんな小さな部屋だけでも、物の置き方は何通りも。縦だったり横だったり、一つポツンとだったり、いくつも1列に並んでいたり、また左右対称だったりバラバラだったり。自由な発想でされていることがわかります。

　「タオルやなんかは、ここにかけるしかない、と思って、一生懸命合うフックを探してきて、色を塗ってつけたの。でも物を買う時に、ただ素敵、ですませるのでなく、置き場所を同時に想像することも多いわね。これはあそこにかけよう、とか、あの並びにいいな、とか。"ふさわしい"置き場所を思いつかないものは、わが家に合わないかもしれないでしょう。そして連れ帰って置いてみると、たいていは、しっくりくる。でもだめだと思ったら、また違うところに置き直してみたり。それを試す時間も楽しいのよ」

バスルームでは花柄のカーテンを使い続けている。「伝統的なバラの絵で、この色褪せた感じが好きなの」。似たような色合いのバラの細密画も壁に。フレームは、鏡の木枠と似たようなものを選択。

キッチンも壁のフックにかけ収納スタイル。一番右のかごは、残ったパウンドケーキなどにかぶせて使う。夕方帰宅したエドワードが、そこからおやつをつまむのを目撃。リネンのエプロンは「お肉屋さんの長いエプロンをイメージして作ったの」。テーブルは昔から愛用のアルヴァ・アアルト。写真やフレームがあちらこちらに。

# お茶の時間の大切な決まりごと

マーガレットの家を撮影で訪ねると、まずはお茶を出してくれます。ちょっと飲んでから、さあ、撮影をスタート。撮り始めて小1時間もすると、またマーガレットがやって来て「お茶はいかが？」。ええ!?　今飲んだばかりだし、お手製のジャムがおいしくて、パンも進んでしまって、おなかもいっぱいだし、入らない……、と遠慮。そうすると、マーガレットは1人分のお茶を入れて飲んでいることもありました。やっぱり、イギリス人はお茶が好きなんだ、と妙に納得。ただしマーガレットはコーヒーも大好き。私達が紅茶を希望すると、自分の分だけコーヒーを入れて飲んでいたこともあります。

ある時、せっかくいつもおいしい紅茶をいただいているのだから、マーガレット流紅茶の入れ方を教えてもらうことに。これが、カメラマン泣かせのすごいスピード。撮影用に待ってもらおうと思っても、「どんどんやらないと、おいしくなくなっちゃうわ！」。ということで、1回飲んだ後、「もう1杯いかが？」と聞かれ、一同大きくうなずきました。2回目で、ようやく撮影できたのでした。

［マーガレット流・紅茶の入れ方］1・お湯を沸かす。ポットは丸型を選ぶ。中でお湯の対流が起こりやすく、茶葉のジャンピングがうまく行われるため。2・ポットを温めるため、熱湯を注ぎ、さっと回して、すぐに捨てる。〈どんどん加速しながら〉3・ポットに茶葉を入れる。ひとりスプーン1杯が目安で、ミルクティーの場合は多めに。〈さらに加速！〉4・熱湯を注ぎ、フタをしてティーコゼをかぶせて2〜3分待つ。〈ここでひと息〉5・ミルクティーの場合は、カップに冷たいミルクを少量入れる。〈日本でミルクティーを注文すると、温めたミルクが出てくることが多く、不満に感じている〉6・茶葉が開いたらポットのフタを開け、スプーンで中を3〜4回かき混ぜ、濃さを均一にする。〈間髪をいれずに！〉7・ティーストレーナーを使って、カップに注ぐ。

さて、ここで肝心なのが、その直後。撮影の途中だったり、メモを取っていたりで、なかなかお茶に口をつけないと、必ずマーガレットから声が飛びます。「さあ、皆さん、お茶がおいしいうちに、飲みましょうよ！」

一番大切なのは、"入れたら、すぐに飲む"ということです。

# TEA TIME

イギリス定番の丸いポットが、やはり一番紅茶をおいしく入れられる。茶葉はダージリンのファーストフラッシュが好き。

茶葉が十分開いたら、手早くスプーンでかき混ぜ再びフタをして、すぐカップに注ぐ。後ろに見える窓は庭に面していて気持ちいい。

長く愛用中のトースターもクリーム色。木製の作業台のすぐ上の壁には、白いタイルを張り、その上の壁のボーン（骨色。ベージュがかった白）と色の変化をつけている。

ブレッドと書かれたアンティークの保存缶。キッチンクロスをめくると、ライ麦パンやバゲットなど数種類のパン。食べ盛りの子がふたりいたので、ほぼ毎日パン屋通いした。

紅茶の葉やコーヒー豆などは、アンティークの缶に移し替えて保存。セカンドハウスでさし色にしているクリームやグリーンの色調を、当時から好きだったことを確認。

# SHOPPING PHILOSOPHY

## 物を選ぶ時、買う時に考えること

　キッチンを見回してみると、それこそたくさんの雑貨や道具類が、見えるところに置かれていることがわかります。フランス製の白い食器、ステンレスの鍋やアルミのざる、ワイヤーのかご、クリーム色の保存缶、反対の壁のフックにはエプロンなどなど……。新品もアンティークのものも入り交じっていますが、なぜかゴチャゴチャ感がない。全体がなじんでトーンが統一されています。
「買った場所は、それこそバラバラなのよ。ガラクタ市だったり、田舎に遊びに行った時にたまたま見つけた寂れたショップだったり。ロンドンの有名キッチン道具屋さんのものもあるし」

　マーガレットのショッピングに同行すると何かを見つけたマーガレットが、物を手に取り、ためつすがめつ眺めている場面に遭遇します。裏返したり、腕を伸ばして頭を後ろに反らして距離を取って見たり、もっと遠くから観察したり。
「これは、きちんと作られた本物のいいものかどうか、どこでどう使いたいか、自分で色を塗ったり手を加えたらどうなるか、とかいろいろ考えてみるの。それから家のどこに置くかも想像するし」

　たまに、いらなくなったものをジャンブルセールに出すことはあるけれど、買い物で大失敗した経験は覚えがない、というマーガレット。はっきりとしたセレクトの目を持っているうえに、買う時にはきちんと考える。これぞ、家の統一感を生み出す原則なのかもしれません。

アンティークポットが並ぶ上の棚板を支える金具は、実家で使っていたものを父から譲り受けた。フックにはざる、下の段はステンレスの鍋類。冷凍庫を持たず、基本的に毎日帰ってから子供達との夕食を作る。この日の冷蔵庫には鶏が丸1羽入っていた。

シンクの前の壁には木製の水切りを設置。パリのカフェの定番、アピルコの白い食器などを愛用。すべて白なので、しまわずに置きっぱなしにしても、いい雰囲気。

# NATURAL APPROACH

突き当たりの作業台でさっと花のアレンジ。ちょっと離れたところからバランスをチェック。庭で切った雑草や小さな花の他、フラワーマーケットまで買い出しに行くことも。

床のオレンジのタイル、ボーンの腰板、すりガラスのペンダントライトがぬくもりを与えている。壁には縄やかごなど、この部屋の作業や庭で使うものがかけられている。

作業台の上には、とりあえずストックしておきたい雑貨や小物が置かれていることも多い。レモンの絵はマーガレットの作品。

ジャムのビンには果物の種類と作った日付が貼られている。海岸でブラックベリーを摘んだ翌日には、もうジャムにしていた。

## 自然のまま、あるがまま、無造作の魅力

　キッチンの隣はユーティリティルーム。元はここがキッチンだったのですが、狭くてテーブルを置くスペースがありませんでした。「ひとり離れて料理を作るのは寂しいわ」ということで、引っ越してきてすぐに、元ダイニングルームだった部屋にキッチンを移したそう。

　現在、ユーティリティルームには洗濯機が置かれ、野菜をかごに入れて床に置いておく、お手製のジャムを上の棚に保存する、ちょっとした容器などのストックを、とりあえず隅に重ねておく、というような日々の目的に使っています。また、花はここの作業台で生けるのも習慣です。

　なんだか、この部屋は新たに加わったものを「ちょっと置いておく」「とりあえず保存する」「さっと作業する」など、毎日変化していく印象。物の置き方も、すぐに動かすから無造作な感じで、そこが、いつも自然体のマーガレットを思わせて、魅力的に感じられます。

　ユーティリティルームからドアを抜けると、庭に出られます。庭もまた、自然のままを生かした作り。

　「きちんとし過ぎた庭は好きじゃないし、仕事と子育てをしながらでは世話もしきれない。ハーブや野の花中心の、野原に近い庭が私に合っていると思うの」

　いつでもどんな時も、隅から隅まで、マーガレットの暮らす家からは、ナチュラルで優しく、でも芯の通った彼女のパーソナリティが感じられました。

(左)パリで格安で見つけたワイヤーのかごと、フラワーマーケットなどで両手をあけて買い物をしたい時のためのリュック。この部屋のフックはアンティークマーケットで見つけたアイアンを使用。
(中)生成りの窓枠にアンティークの陶器のボトルやテラコッタの鉢などがしっくりと映える。
(右)ラベンダーなどたくさんのハーブ、クレマチスなどを手入れし過ぎずに育てている。家の壁にかけられたバケツは、なんとマーガレットが赤ちゃんの時に沐浴に使っていたものだそう。

# FAVOURITE DESIGNS 3
# ROBERT WELCH ロバート・ウェルシュ

## ステンレスのテーブルウエア

　マーガレットのセカンドハウスを訪ねると、たくさんのロバート・ウェルシュの製品が生活の中で使われていることに気づきます。着いてすぐ、まず紅茶を入れてくれる時に使ったティーポットとティーストレーナー。夕食のテーブルに並ぶカトラリーやソルト＆ペッパーのセット。ロウソクを灯すキャンドルスタンド。翌朝の朝食では、トーストスタンドが登場。現在も生産されている製品もあれば、復刻したもの、ガラクタ市で見つけた古いものも。どれもすっかりと彼女の暮らしに溶け込んでいます。

　ロバート・ウェルシュ（1929～2002年）は、20世紀のメタル製品に、最も影響力を与えたと言われるイギリス人の工業デザイナー。特にステンレス製のテーブルウエアで知られています。

　1955年、コッツウォルズ地方のチッピングカムデンに彼が自身のデザイン工房を立ち上げた頃、まだ、世の中に質のよいステンレス製品は出回っていませんでした。さびない金属、ステンレスをテーブルウエアに、と考えていたメーカー、オールド・ホール社が、ウェルシュにデザインを依頼。ウェルシュの初のステンレス製テーブルウエア「カムデン」シリーズが誕生します。その製造法、構造、デザインともにシンプルで美しかったウェルシュ製品は、1958年、'62年、'65年、と立て続けに優れた工業製品に与えられるデザインセンター賞を受賞。商品は大量生産され、イギリスの家庭のスタンダードとなります。
「子供の頃、わが家のティーポットの底にもオールド・ホールのスタンプが押されていたのよ。高級品ではなくて完全な実用品。機能を重視していて、それでいてデザインも美しかったの。そして、大切なのはステンレスという素材。さびなくて丈夫で、テーブルウエアに合っている。道具の目的に合った素材を見つけ出すセンスも、デザインの大切な要素だと思うわ」
　長年にわたり、製品を発表し続けたウェルシュですが、特にマーガレットが好きなのは、'55～'60年代頃のデザイン。
「当時のロバート・ウェルシュの製品は、今までたくさん見たし、自分でも使ってきたでしょう。そのせいか、ガラクタ市やチャリティショップ巡りをしていると、どんなガラクタの中に埋もれていても、なぜかぱっと、それだけを見つけられるようになったのよ（笑）」

「カムデン」シリーズの中のティーストレーナー。両サイドの持ち手がつかみやすく、使用後、受け皿にはまった姿に愛敬がある。「資料で彼が試作を重ねた様子を見ると、デザインのすべてに意味があることがわかるの。そこがまた素晴らしいと思ったわ」

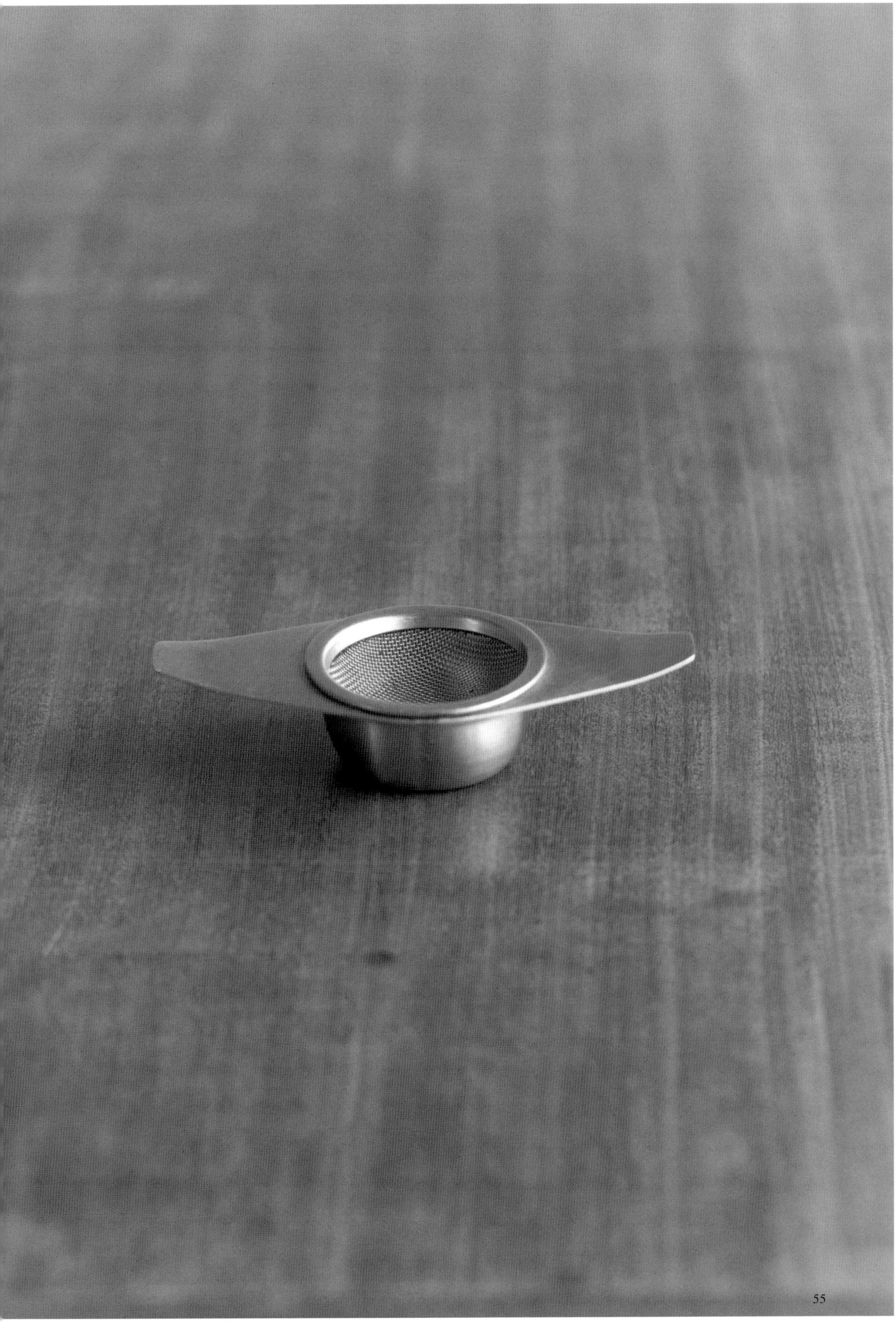

# INTERESTS PASSIONS PURSUITS

# 暮らしに彩りを添える
# 休日の心豊かな時間

ファッションのデザインに、
ウィグモアストリート・ショップのさまざまな仕事に、
はたまたセカンドハウスの改装計画に、とマーガレットの毎日は多忙。
でも彼女が、オフィスと、自宅やセカンドハウスの
往復だけをしているわけでは、もちろんありません。
ロンドンでは週に何kmもプールで泳ぎ、
サフォークでは朝に海で泳いでは、夕に海岸を数kmも散歩。
「子供の頃から、一日中家に閉じこもっていたことは一度もないの」
と若々しい顔つきと引き締まった体で言われると、素直に納得できます。

マーガレットは、その元気な心と体で、好奇心いっぱいに
魅力的な休日を過ごしています。
しばしばアンティークマーケットで目利きぶりを発揮、
田舎の自然を味わい、時には郊外の古い建築を探訪、
そして可能な限り、職人さんの物作りの現場に触れます。
その中で、ミッドセンチュリーのデザインの魅力に気づいたり、
葉や花の微妙なグラデーションがデザインのヒントになったり。

いつでも自分の着たいもの、必要だと感じるものを作り、
自身の興味を仕事のテーマにしてきたマーガレット。
彼女にとって、休日の心豊かな時間は、
創造や生き方にもつながっていく、大切な宝物です。

## MARKET

'60年代のアーコールの椅子を1脚発見。ウィグモアストリート・ショップのオープン当初は、こうして自ら1脚ずつ集めて「いつかエキシビションをしたいの」と語っていた。それは2003年に実現。

小雨でもかまわず、トラックから荷物を下ろして販売中。「雨の日は、おまけしてくれるのよ」。牛乳ビンだけとか、一つの陶器メーカー専門などの売り主には、製造時期とデザインの変化などを熱心に取材。

### マーケットで遂行される手際のいい仕事

## ANTIQUE MARKET

　ふだんよく行くのはロンドンのグリニッジのアンティークマーケットなどですが、この日は久しぶりの遠出。ロンドンから車で約1時間半の街、ブライトンのアンティークマーケットにやって来ました。広い駐車場にトラックやワゴン車がたくさん停まり、荷台から下ろしたユーズド品などを並べ始めています。プロも買い付けに来る本格派マーケットなので、マーガレットも気合いを入れて早朝ロンドンの自宅を出発。8時半にはマーケット・ハンティングをスタート！　ここから行動観察リポートをお送りします。
　——なにしろその行動は素早い。今、ここでビンを見ていたと思ったら、鋭く遠くを見やり、気になるものを発見、半信半疑の表情で忍び寄る。無事、獲物をキャッチするや、裏返してメーカー名を一瞥。さらに傷の有無を検査。次はさまざまな向きから容姿を確認。そして、フッと笑顔に。かと思うと、なぜか汚い段ボール箱に突進し、奥のほうから、何かをつかんで取り出し、いきなり笑顔になっていることも。それは、ロバート・ウェルシュのポットだったりするのだ。なぜ、その箱に、目当てのものがあるとわかったのか、誰も知らない……。
　——といった具合。
　「ロバート・ウェルシュのテーブルウエアやアーコールの家具は、自分でも愛用しているし、たくさん目にしてきたから、なんだか鼻が利くの」
　ただ鼻が利くだけでなく、やはり"価値が理解されずに打ち捨てられているいいもの"を見分ける目利きぶりがマーガレットの真骨頂。ウィグモアストリー

マーケット専用の特大ナイロンバッグに、大量に買った花を入れて持ち歩く人が多い。狭い道はいつも花と人であふれ返っている。お昼頃には終わってしまうので、ここも、必ず早起きして出かける。

ロンドン東部リバプールストリート駅近くの小さな通り、コロンビアロードで、毎日曜の朝開かれるフラワーマーケット。100mほどの道いっぱいに、近郊の花生産者が育てた苗や切り花が広げられる。「特別な花というより、イギリスのベーシックな花が揃っていて安いの。子供の頃うちの庭に咲いていた花を見つけて、懐かしくて買ってしまうこともあるのよ」。気づくと野原に咲いていそうな素朴な花ばかり選択。

## COLUMBIA ROAD FLOWER MARKET

ト・ショップのオープン当初は、自身で見つけたものを販売することも多かったので、マーケット通いは日課、とは言わないまでも週課（？）以上だったそう。その少し前の2000年頃にも、東京の神南ショップにマーガレットが集めたミッドセンチュリーの時代のプールの食器を置くと、毎回すぐに売り切れてしまうため、「仕事仕事」と言いながら、足繁くマーケット通いをしていたそうです。

ただマーガレットは、金に物を言わせてコレクターの人気アイテムを買い漁るバイヤーとは、まったくスタンスが違います。気に入ったものを見つけて、売り主に金額を聞き、それが自分の納得のいくものとかけ離れていると、すぐに交渉をストップ。「あれが、そんな金額なんて、あり得ないわ」とブツブツつぶやいていたことも。プールのツイントーンシリーズも人気が出て価格が上がってしまうと、比較的買いやすい後期の'60〜'70年代のものだけを仕入れて売るようにしたそう。お宝をあがめるのではなく、買いやすい価格で実際に生活で使えるものを提供したいという方針です。

今ではウィグモアストリート・ショップに、インテリア雑貨専門のバイヤーもいるので、ショップのために歩き回る必要はないのですが、相変わらず、マーケット通いは大好き。

「来週末に、セカンドハウスの近くで、ミッドセンチュリー家具を集めたマーケットが開かれるんですって。初めて行くのよ。楽しみだわあ」

新たなマーケットの開拓にも、もちろん余念がありません。

# 田舎で、植物園で。
## イギリスの自然の中で過ごすひととき

COUNTRYSIDE

NATURE

マーガレットは、セカンドハウスを持つずっと前から、常に自然とのふれあいを大切にしてきました。子供達が小さい頃は、長い休暇と言えば、田舎の貸しコテージで過ごすのが習慣。3人で海で泳いだり、丘陵を歩いたり、自然の中で野生の果実を摘んだり。

ある秋、前にこの近くで休暇を過ごしたという、南海岸のお気に入りの浜辺を案内してくれました。地図にも載っていない静かな海岸です。

「ここはね、日没前の2～3時間に、変わっていく海の色が好きなの」

グリーンがかった海に、ピンクに染まった空の色が映り込み、どんどん色を変化させていきます。マーガレットは、砂浜を歩きながら、いつまでも飽きずに海を眺めていました。

また建物を目当てに、田舎に出かけることもよくあります。例えば、約100年前に、建物だけでなく庭も調和を持って設計した建築家エドウィン・ラッチェ

(上)海岸にブラックベリーが群生。いつもたくさん摘んで、ジャムやソースを作る。
(中)ナショナル・トラストの管理で広大な池や庭とともに残されている、イギリス南部サセックス地方の元貴族の屋敷「ペットワースハウス」。マーガレットはナショナル・トラストの会員なので、ひとりだけ入館料無料の場所も多かった。
(下)海岸で、おもしろい形の白い石を拾う。庭にテラコッタの鉢と並べて飾った。

チェルシー・フィジック・ガーデンの園内には、天井が高く、寄宿舎の食堂のようなそっけないティールームもある。「イギリスらしくて、そこでお茶を飲むのも好きなの」。お茶やケーキはきちんと磁器の食器に入れてくれ、庭に持ち出してもいい。今日は紅茶とパウンドケーキとイチゴを芝生の上で。

芝生で午後のひとときを、のんびりと過ごす。マーガレットは、後ろの、枯れかかったようなグリーンの濃淡の色彩をも、しばし愛でていた。

## CHELSEA PHYSIC GARDEN

ンス。現在ではホテルになっている、彼の手がけた貴族の屋敷などにも、機会を作っては泊まりに。あるいはナショナル・トラストの管理する歴史的建造物も興味の対象です。その中には、作家のヴァージニア・ウルフの暮らした家などもありましたが、マーガレットの訪ねる建物は、どれも、美しい庭や自然の中にあります。彼女は、建物や内装や調度品からも、周辺の自然の光景からも、何かを得たり、満ち足りた気持ちにさせられる、と話していました。

　遠出できない週末には、ロンドンの街中にある植物園に。チェルシー・フィジック・ガーデンは、こぢんまりした敷地の中で、一度にさまざまな花や木々の様子を楽しめる魅力的な作り。
「この枯れかかった花の雰囲気が好き」
「いろいろな葉の、グリーンのグラデーションがきれいね」
　マーガレットの感受性豊かな言葉に、いつもハッとさせられるのでした。

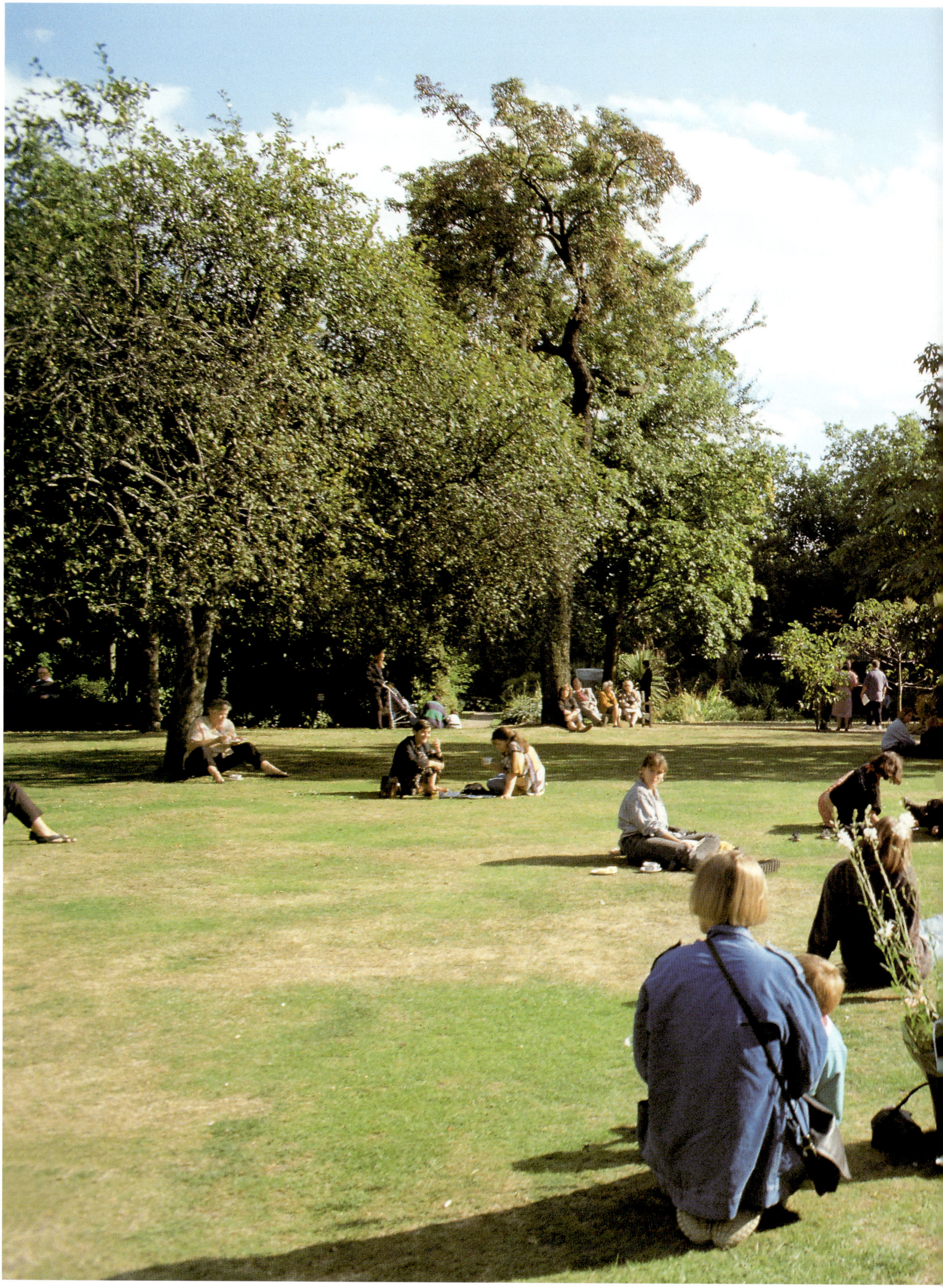

チェルシー・フィジック・ガーデンはイギリス最古の植物園の一つ。かつては薬草園だったことから、"フィジック"の名が残っているそう。開園は4月から10月の水曜と日曜の午後。気持ちのいいシーズンに、青空のもと芝生の上で思い思いに過ごすロンドンっ子達が大勢見られる。マーガレットも時々、その仲間に加わる。

**CHELSEA PHYSIC GARDEN**

いつもわくわくさせられる
職人さんの仕事ぶり

BASKET MAKER

小さな工房で職人さんの手仕事に見入るマーガレット。持ち手や枠に使う栗の木を均等な厚さに削いでいるところ。トラッグと呼ばれるサセックス地方のかごは農家で果樹や野菜を収穫するために使われてきた。

# CRAFTSMANSHIP

かごのベースの部分はこの地方特有の柳の木を使用。角材から、まずクリケットのバットを掘り出し、残りの部分をかごに利用するのだそう。

工房の隣のショップで、使う場面を想定して、サイズと形を真剣に選択。「手のかかる工程を知ると、ますます完成品がいとおしく思えるわね」

　マーガレットと話をしていると会話の中に、よくクラフツマンシップ、職人技という言葉が出てきます。
「職人さんの手で、きちんと作られたものに魅かれる」とか「職人さんの高い技術力を感じる」とか。
　また、クラフツマンと呼ばれる人でなくても、その道のプロ、専門の作り手、専門店が、マーガレットの好み。例えばニットメーカーだったり、傘専門店だったり。あるいは食材も同様で、パンはパン屋さんで、チーズはチーズ屋さんでといった具合に専門の店で買う習慣です。
「お惣菜だって、誰が作ったのかわからない店では買わないわ。目の前に料理した人のいる店で買いたいの」
　だからマーガレットは尊敬する職人さんの物作りの現場を訪ねるのを、いつも楽しみにしています。この日は、前から行ってみたかったという、ブライトン近郊のかごメーカーに。この地域でずっと生産されてきた伝統的なかごも、今では作れるのはこの工房1軒になってしまったのだそう。かご作りの工程を見せてもらう時の、マーガレットの真剣な表情。食い入るように見つめ、質問を重ねていたのでした。
　ところで、おかしかったのが工房に入った時のこと。専用の仕切り付きの木箱に、種類ごとに入れられた特殊な鉄釘を見て、うっとりとひと言。
「釘よ。きれいねぇ」
　かご作りに使う特殊な工具などにも、次々と強い興味を示していて、マーガレットの職人道具偏愛ぶりが、ここではからずも露見したのでした。

FAVOURITE DESIGNS 4

# MIDWINTER ミッドウィンター

## 食習慣を変えさせた食器

　ミッドウィンターは、イギリス中部の陶磁器の街、ストーク・オン・トレントで、1910年から1987年まで、斬新な製品を発表し続けた伝説の陶磁器メーカー。当時はもちろん、会社が現存しない今ではアンティーク市場で、ミッドセンチュリーの時代の製品を中心に人気を集めています。

　ミッドウィンターの名を一躍有名にしたのは、家族経営の会社に入社し、最初はデザイナーとして、後に社長として活躍したロイ・ミッドウィンター。彼は1953年に「スタイルクラフト」シリーズを、さらにその進化形である「ファッションシェイプ」ラインを発表し人気を博します。このラインの、今までとの大きな違いは平皿の形でした。その数年前、アメリカのバイヤーから、伝統的な花柄と、決まりきった形の製品しかないミッドウィンター社に厳しい声が届きます。新鮮なデザインのための視察を勧められ、ロイはアメリカに向かうことに。当時、国自体に活気があり、自由な文化の栄えていたアメリカでは、料理に塩を加える時は、すでに現在と同じように料理全体に塩を振りかけるのが当たり前。一方、イギリスでは、皿の縁の平らな部分にそっと塩を盛り、肉などの料理を口に運ぶごとに塩をつけながら食べる堅苦しい習慣が続いていたのです。カジュアルなアメリカのスタイルに影響を受けたロイは、盛り塩を置く場所のない、つまり平らな縁のない皿を初めてデザインしました。

「私がセカンドハウスで愛用しているのは"ファッションシェイプ"というラインのカップやミルクピッチャー。それから縁なしの小皿も気に入っていて、いつもゆで野菜を盛ったり、あれこれ便利に使っているわ」
　ロイは、当時のアメリカの陶器の潮流だった、流線的なラインを取り入れ、右の写真左端のソースボートに見られる、本体と取っ手が一体化した流れるようなシルエットを完成させました。
「製作時のデザイン画を見ると、全体が一筆書きのように1本の線で描かれていて、その美しさと躍動感にも目を見張らせられたのよ」
　また深みのある独特の色使いの無地タイプは、伝統的なセット使いではなく、他の食器との組み合わせが楽しめる点も、当時としては画期的。そして今も変わらぬモダンさを感じさせます。
「その頃のデザイナー達が描いた、繊細で写実的な草花や果実の絵柄のコレクションにも、いつも心魅かれるの。絵柄の器や、写真の載った昔のカタログを眺めるのも好きだわ。ファッションのデザイン、例えばブラウスのプリント柄やニットの色使いのイメージソースにしたこともあるのよ」

流線シルエットが美しい「ファッションシェイプ」ラインの器。色はマーガレットのセカンドハウスの"カラーグループ"にふさわしい深みのあるイエロー。奥のコーヒーカップは、内側が白の2色使い。

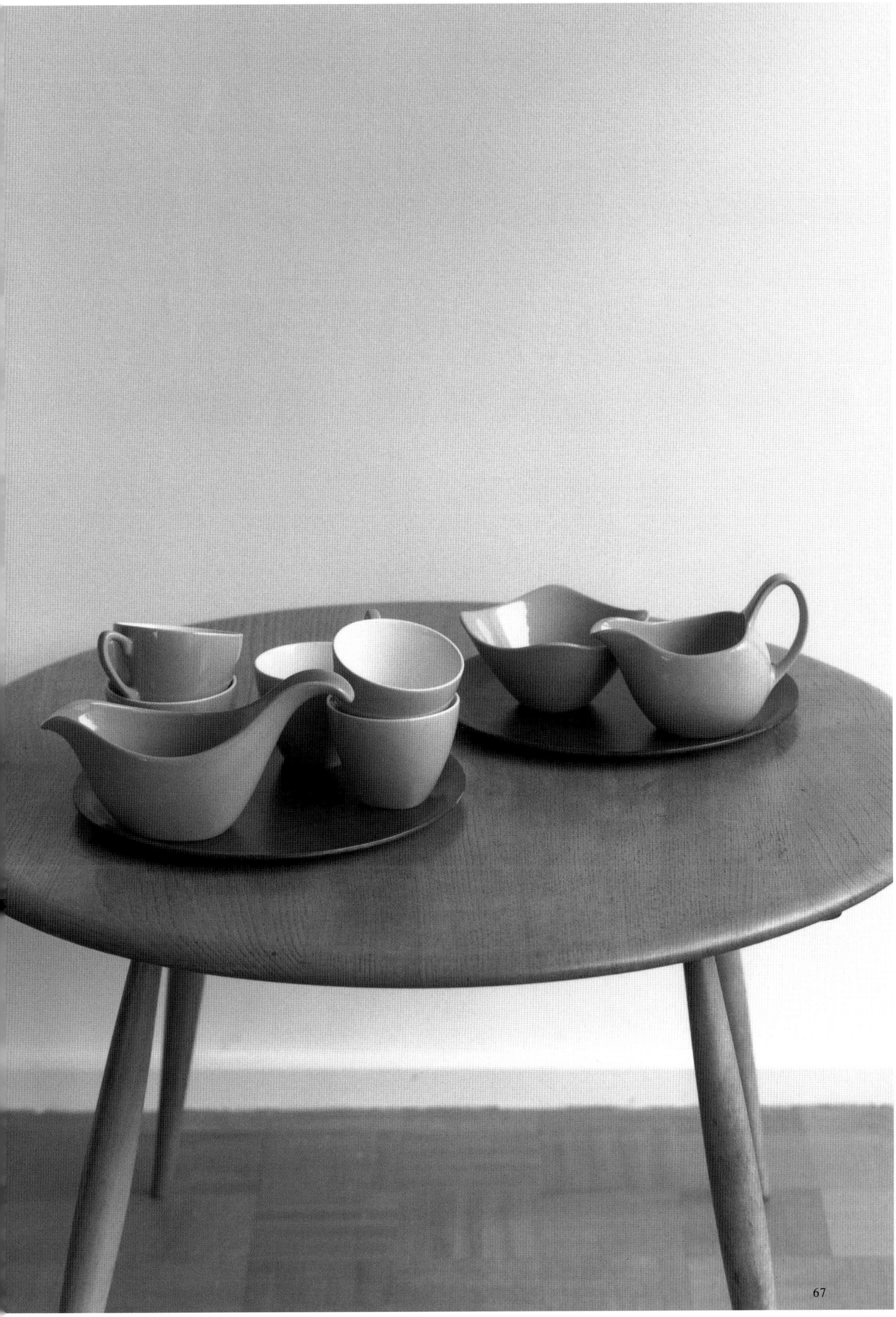

# FIONA'S AESTHETIC

# 信頼する年上の友人フィオナの
# 雑貨あしらいの光る部屋

ここでは、マーガレットの20年来の友人で、
卓越した雑貨使いやディスプレイのセンスを持つフィオナの家を紹介します。
マーガレットが付けた、この章のタイトルは「フィオナの美意識」。
マーガレットの、フィオナに対する尊敬と親しみの気持ちが込められています。

実は、私達はフィオナの家も3回訪ね、3回撮影しています。
ただし3回とも違う家です。
マーガレットに紹介され、初めてロンドンのフラットを訪ねたのは1994年。
その時、マーガレットに共通する研ぎ澄まされた選択眼と、
物の見せ方、飾り方の技に魅了されたものです。
その後、フィオナが仕事を引退して息子一家の住む南部の街、
ルイスの一戸建てに引っ越したと聞き、1998年に、その新居の撮影を依頼。
さらに2002年、ルイスの街の中で、2フロアのフラットに引っ越したと聞くと、
またその家も訪ねて撮影をお願いしました。

室内の雑貨の扱い方にしろ、機知に富んだ会話にしろ、
フィオナには人を引きつけずにはいられない魅力があります。
「3つの家の写真を交ぜて載せても大丈夫よ。
フィオナはいつだって、住んでいる家を彼女のテイストそのものに
まとめ上げる、センスとパワーがあるもの」
それぞれの家に何度も遊びに行っている、マーガレットからのお墨付きです。

# 互いの家を行き来し、
# 会うと話の尽きないふたり

　マーガレットと一緒にフィオナの家を訪ねると、マーガレットが、みるみるくつろいでいくのがわかりました。
「フィオナの家では、私は世話をされてばかりなの。いつも清潔なベッドリネンが用意されていて、私はもう、ぐっすり眠れて、翌朝はモーニングティーをベッドまで運んでくれるのよ」
　とうれしそう。ふたりで、最近見た展覧会や映画の感想、本の内容、それから来る道すがら接した風景の美しさなどを、間断なく語り合っています。ふたりとも笑ったり感心したり、本当に楽しそうですが、ひと回り以上年上のフィオナが表現力豊かに話すのを、マーガレットが微笑みながら聞いているのも多い感じ。幅広い人生経験と深い知識、鋭い感性を持ったフィオナを、マーガレットが心から信頼している様子です。

　フィオナは知的でユーモラスで、優しく、そして媚びない。いつも凛としています。そんな彼女の佇まいは、波乱万丈の経歴からくるものが大きいようです。

　フィオナは、アイルランド人で外科医師だった父親の仕事の関係で、当時英連邦に属していた南アフリカ共和国で生まれます。地元のカトリックの学校で学び、大学では美術史、特に建築について深く学びました。
　その後、哲学者と結婚し、3人の子供を出産。しかし夫婦でアパルトヘイトに反対していたため、国にいられなくなり31歳の時に一家で渡英。ほどなく、ひとりで3人の子供達を育てることに。この苗字は、元夫の唯一の名残なのだそう。料理上手なフィオナは、名前を聞けば誰でも知っている世界的大富豪のイタリアの別荘で、住み込み料理人をするなどして、子供達を育てます。
　その後ロンドンで、陶芸家のバーナード・リーチらの作品集の本を出したり、かごや家具などの工芸家達の個展を企画するなどの仕事をしていました。
「恥ずかしがりで口下手の工芸家に代わって、私が多くの人達の目に作品を触れさせて価値や魅力を伝えたかったの」
　そんな頃、マーガレットに"工芸家のようなこだわりと信念"があり、"手仕事で作られた本物"が好きだという、自分と近いものを感じていたフィオナは、個展のお知らせとともに、手紙を送ります。
「個展を見にいらっしゃいませんか。私に、何かお手伝いできませんか」
　マーガレットがその個展を訪ねた日から、約20年、ふたりの友情は途切れることなく、深く続いています。

## HISTORY AND BEGINNING

マーガレット・ハウエル1995年春夏シーズンのイメージ写真に、プロのモデルに交じって登場。「フィオナの大人の雰囲気が、この時の服にぴったりだと思って頼んだの。海岸ロケよ」

暖炉の上の小さな張り出しに、雑貨を並べた様子が、完成された絵のような美しさ。木のボウルは、個展の企画をしていた工芸家の作品。フレームの絵は建築家の友人が描いたもの。

### フィオナ・アダムチェフスキー

FIONA ADAMCZEWSKI／1931年、南アフリカ共和国生まれ。陶芸家や工芸家の個展企画や作品集作りなどの仕事をしている時にマーガレットと知り合う。1987年から、マーガレット・ハウエルの当時ロンドン唯一のショップ、ビーチャム・プレイス店の店長を務める。引退後、イギリス南部の街ルイスに越し、一戸建て、フラットと移り住む。

会うなり話の弾むふたり。フィオナはこの時、3軒目の家に引っ越してまだ9カ月だったけれど、すでにマーガレットは何回も遊びに来ていた。電話もしょっちゅうし合う仲。

2軒目ではテーブル上のかご全部を、収納に使用。野菜、ハーブの束、卵、調理道具など。

3軒目では木製の水切り棚が壁に。カップはフランスのアピルコ、ブラシは北欧のもの。

2軒目の広いキッチン。より明るくしたくて、引っ越してから突き当たりに窓を2つあけた。

今ではもう手に入らない象牙を使ったカトラリー。父親の家系の紋章の入ったものなども。

ふだん使いでもアイリッシュリネンの白いナプキンを愛用。手早くおいしいランチを準備中。

地元イーストサセックス州のかごは、70歳の誕生日に子供達がコインを70枚入れ贈ってくれた。

窓際に赤唐辛子をぶら下げて乾燥中。料理上手で、おいしい食材の調達や保存にも一家言あり。

キッチンのドア脇には、買い物かご。手前の古いアイロンをドアストッパーとして利用。

「ジェインは我が家の守り神よ」。アフリカの素朴な木の人形とずっと一緒に引っ越ししてきた。

# KITCHEN AND BASKETS

## たくさんのかごと木肌の
## ぬくもりを生かしたキッチン

ロンドンのキッチンでは、小さなテーブルに小ぶりのかごを並べて野菜を保存。さらに壁には大・中サイズのざる型かごを計10個。白い壁を生かしてかごを魅力的に見せる展覧会のような飾り方。

　フィオナの家に行くと、まず感動するのが、そこここにある魅力的なかご。アフリカの民芸品だったり、イギリスやヨーロッパ各地で見つけたものだったり、地元で作られる伝統的なものだったり。古いものもあれば、新しいものも。さまざまな表情のかごが家中に息づいています。これらは、長い間にフィオナが旅先で出会ったり工芸家達から一つずつ手に入れ、その後、引っ越しを重ねても手元に残した大切な宝物です。

　かごの置き場所の中心はキッチン。中に野菜やカトラリーを保存・収納するなど実用的な使い方もすれば、そのすぐ隣では、旅先で拾った石を入れて飾ったり、さらに壁に丸いかごをたくさんかけたり、とディスプレイとしてもさまざまに利用しています。他にも、毎日使う買い物用のかごバッグなども、キッチンドアの近くにポンと置かれていました。

　キッチンの壁は白。木製のテーブルや水切り棚があり、そこにたくさんのかごが加わります。"白い壁＋木肌のぬくもり"が、フィオナの家を構成するベース。彼女の3軒の家に共通する心地よい雰囲気を生み出している源です。

「これが、片付け上手の人の取材だったら、私は絶対失格ね。なにしろ、素敵なかごを見ると買わずにはいられないし、小さな家に越して、いろいろなものを手放しても、かごだけはなかなか手放せないんだから（笑）」

# BEDROOM AND IRISH LINEN

3軒目のベッドルームは、床と部屋の入口の枠はグレーベージュに塗った。「娘がアイアンのベッドを欲しがるので譲って、はやりの布団マットにしたのよ」。ここではテディは窓に、スニーカーはこの手前に転がっていた。

# 子供の頃から、
# 白いアイリッシュリネンで育った

「アイルランド人の父親のおかげで、南ア共和国で生まれた時から、ずっとベッドでは白のアイリッシュリネンを使ってきたの。他の素材も色も、まったく考えられないのよ。なにしろ洗い込んだアイリッシュリネンの、柔らかくて、それでいてさらっとした肌触りに慣れていると、他では落ち着かなくて」

けっこう高価だし、白だと維持が大変そうな気もするのだけれど。

「上質なものって、長持ちするのよねえ。それに、白は漂白すればいいから、手入れもかえって簡単なのよ」

フィオナは南ア共和国で大学に入学するまで、カトリックの修道院付属の女学校に通っていました。

「とても質素で飾りけのない建物で、色もレンガと木と白ぐらいしか使われていなかったの。ファブリックはもちろん白。今になってみると、若い頃に接した、そういう清廉なものに、私の感覚は影響を受けたのかもしれないわね」

さて、フィオナの3軒のベッド回りに共通して置かれていたものがありました。室内ばきにしている白いキャンバススニーカーと、子供の頃から一緒のテディベア。アイリッシュリネン以外に、この2つとも長い付き合いが続いています。

2軒目までは、ベッドに子供時代のテディベアを置くのが習慣だった。ピローケースの縁にはしごレースの飾りが。

チェストの上には木のボウルや、シェーカースタイルの箱、アフリカの木の櫛など。抑えられた色使いで静かな印象。

ベッドルームに小さなデスクとタイプライターも。手前の椅子は、工芸家に座面を張り直してもらい、長年使用している。

アイアンのベッドの足元にあった白いキャンバススニーカー。白い床と天然素材のラグの組み合わせにも清潔感がある。

初めてバスルームにロールカーテンを設置。ふだんは開けっぱなしで実際より広く感じられる。

「1961年から香水はロンドンの老舗、ペンハリゴンズひとすじよ」。クラシックなガラスビンが並ぶ。

ロンドンのフラットは、隣接する建物にこちら向きの窓がなかったから、当然カーテンはなし。

3軒目のこぢんまりしたバスルーム。入ると右側がバスタブ、中央がトイレ、左が洗面台。

海岸で拾った丸い石を1列に並べている。額にはイラストレーターの娘の描いた鱒の絵。

暖炉の上には珊瑚や貝殻。下のかごには、やはり何度も通った海岸で拾ったきれいな石。

裏庭に上がる階段にローズマリーやブラキカムなどの中型鉢を置いている。壁にはオールドローズも。

キッチンから出て、レンガの階段を上るとちょっとした裏庭になっている。苗を植え替え中。

レンガ塀の棚に、小さなヴィオラの鉢などを並べていた。蔦の絡まる古い塀が絵になる。

2軒目のバスルームは丘陵の傾斜が目の前だったので、カーテンが必要なかった。この時はまだ改装途中で、壁は白く塗り終わったが、この後床をフローリングにしたそう。広いうえに目の前が窓という開放感。「つい、昼間にお風呂に入っちゃうのよね」

# BATHROOM AND GARDEN

## 光をたっぷり取り入れたいから、カーテンはしない

　南ア共和国で育ち、31歳で初めてロンドンにやって来た時、街や室内の暗さに驚いたというフィオナ。
「お天気は悪いし、家の窓が小さくて、とにかく部屋が暗かったの。絶対明るいところに住もうと思って、窓の大きい家ばかり探して住んできたわ。少しでも光を取り込みたいから、もったいなくて、カーテンなんてしないのよ」
　リビングはもちろん、バスルームですら、できる限りカーテンをつけません。
「ロンドンは隣の建物に、こちら向きの窓がなかったし、2軒目の一戸建ては窓の外が急斜面の草地だったし。必要なければカーテンなんてつけないわ」
　3軒目の家は、残念ながら小さめのバスルームの窓の斜め向こう側に教会があるため、「ロールカーテンを下ろすこともある(笑)」そう。
　私達が初めて訪ねたロンドンのフラットの見晴らしのいいリビングには、アイアンの外階段の踊り場が付いていて、フィオナはそこを、ちょっとしたテラス代わりに利用。ハーブなどのガーデニングを楽しんでいました。その後、ルイスの一戸建てに移った時には、育てていた鉢を全部持ってきて、レンガの花壇に植え替えをしました。
「室内だけじゃなくて、せっかくだから、庭の光も存分に楽しまないとね」

## 引っ越しをするたびに、
## 壁、床、階段を改装

　フィオナは引っ越しをするたびに、家の改装をほとんど自分でしてきました。
「まずは壁ね。イギリスの家は、だいたい壁紙が何重にも張ってあるのよ。みんな、引っ越すと自分の好みの壁紙を上に張るから。でも私は、ペンキで白く塗った漆喰の壁が好み。だから、毎回壁紙をはがすことから始めるの」
　1軒目のロンドンのフラットはこぢんまりしていたので、壁紙をはがして平らにして、白いペンキを塗って。床もペンキを落として、無垢の木肌を出して明るい部屋作りを心がけました。
　2軒目は大きな一戸建てだったので、3重の壁紙をはがして平らに磨くところまではプロに任せることに。その後、フィオナが、もちをよくするために3回白いペンキを塗り重ねたそう。一方、階段と手すりは、塗ってあったペンキを自分でサンドペーパーで落としました。
「機械でやると新品みたいにきれいになっちゃうの。手で少しずつやればペンキの跡を残すことができて、いい雰囲気になるのよ。もともと少し濃い色の木が使われていたので、ペンキが白っぽく残る感じを狙ってみたのね」
　ちなみに2軒目の家は部屋数も多かったので、地元の音大の声楽家の卵を下宿させていました。
「下宿人が入れ替わっても、みんな私のことをお母さんかのように甘えるのよ。私は子供も3人育て上げたし、仕事も十分してきた。どうして、つい人の面倒を見てしまうんだろう!?（笑）と思い直したの。それで一人暮らしにちょうどいい小さなフラットに移ることにしたのよ」
　そして移った3軒目では、近くに住む息子のコンラッドに「もう70歳なんだから」と家中のペンキを自分で塗ることを反対され、断念。ペンキはプロに依頼。床とドア、窓枠などを、淡いグレーベージュに塗ってもらいました。光によって色が違って見え、新鮮な雰囲気です。
「でも階段の手すりのペンキ落としだけは、自分の手でやったけれどね」
　フィオナの改装に対する情熱は、70代の今も少しも衰えていません。

1軒目の廊下の演出。アルヴァ・アアルトの子供用デスクは電話置き場として利用。その脇にゴム長靴がちょこんと。壁には自分や両親の若い頃のモノクロ写真をフレームに入れて飾っている。

**WALLS AND STAIRS**

3軒目の3階。踊り場に、古い木製の農具が置かれていた。ライトは、廊下はプレーンなガラスのシェード、他の部屋はモダンなダウンライトにしていた。

3軒目。1階の玄関からこの階段を上がるとキッチンのドアに通じる。通路でしかない殺風景な白い階段も、かごを飾ったことで風情が感じられる。

「石はシンプルだから好きなの」。20歳で、まだ南ア共和国に住んでいた頃から魅かれて集めていた。「数個ずつでも、長い年月でたまったわね」

2軒目の階段は、手すりも床もサンドペーパーで気に入る状態までペンキを落とした。この家ではイサム・ノグチ風の和紙のペンダントライトを各部屋に使用。

薄いグレーベージュの暖炉の上に、アメ色になったシェーカーの木箱をそっと置いている。

この地方に住んでいた作家ヴァージニア・ウルフのポートレートを彼女の本に立てかけている。

1軒目と2軒目では本棚にいたジェインは、3軒目でキッチンを自ら居場所に選んだ模様。

この椅子でくつろぎつつ読書するのが好き。フィオナは愛読家で、読書欲はますます盛んとか。

グレーに塗るはずだった壁一面の本棚。高い位置用に、子供用椅子を踏み台に利用。

3軒目は2階にキッチンとこの書斎兼リビング、3階にベッドルームとバスルームのある2DK。

白い壁と木肌の生み出す、ナチュラルで心地よい空気感。工芸家の作品がたくさん置かれている。

デスクの上には、少しモダンな白いライト。1部屋に2種類のパープル系の花を飾っていた。

カップボードの上はクラシックな雰囲気に。壁のフレームを含め左右対称の安定感のある配置に。

## 長年愛用しているものは、物が自ら居場所を選ぶ

　フィオナの家の中には、たくさんの物が置かれたり、飾られたりしています。例えば書斎。フィオナに似て器用なコンラッドの力作の本棚には、本の他に、家族の写真やお気に入りのポストカードがたくさん飾られ、写真のフレームも床に立てかけられていました。ちなみにフィオナの子供達は長男がグラフィックデザイナー、次男のコンラッドが音大の教師、末娘がイラストレーター、と3人ともアーティスト。モノクロで撮られた家族のポートレートの、なんとみずみずしく、独特の雰囲気を感じさせること！

　フィオナは暖炉の上のちょっとした張り出しや小ぶりのチェスト、壁まで、いろいろな場所を自由自在にディスプレイに利用しています。
「ずっと工芸品の展覧会などの仕事をしていたので、どうしたら、その作品が生きるか、どれとどれを組み合わせたら映えるか、なんて考えるのが好きなの。家の改装をしている時にも、ギャラリーのように、光の入り方や壁のサイズを考えて、ここに、こんなディスプレイをしようなんて、どんどん発想していく。飾り方から内装を決めることも多いのよ」

　美しく、しっくりと収まった雑貨や小物たち。置き場所に悩むことは？
「自分の本当に好きなものなら、それなりの場所を思いつくわ。それとね、長年愛用しているものは、引っ越しても、物が自分から居場所を選ぶ。私は待っていればいいから、簡単なのよ(笑)」

　特別高価なものはないけれど、一つ一つ選ばれて、愛情を込めて置かれた雑貨達の生き生きとした姿。そして穏やかな、人をくつろがせる空気感。マーガレットがこの家に来ると、ほっとする気持ちがわかる気がしました。

# STUDY AND SHELVING

家族のモノクロ写真を、まとめて飾っている。本棚を作り「薄いグレーに塗るよ」と言ったまま、なかなか時間が取れないコンラッドに業を煮やし、フィオナはもう本を並べてしまったそう。

FAVOURITE DESIGNS 5

# DENBY デンビー

## デザイン性の高いストーンウエア

　デンビーは約200年にわたってストーンウエア、陶器を生産してきた、イギリスを代表する器メーカーの一つ。ストーンウエアというのは、日本だと信楽焼・備前焼などが代表例。陶器の分類に入れてしまうことも多いのですが、正確には炻器と呼ばれ、1200℃前後の高温で焼き締められた、硬質で吸水性の少ない焼き物を指します。

　「子供の頃、母はデンビーのストーンウエアのディナーセットを持っていたの。"グリーンホイート"というシリーズで、白地に緑の麦の絵が描かれていた。そのお皿はオーブンにも入れられる便利なもので、私達は日曜のお昼に、いつも、そのお皿をオーブンから取り出してサンデーローストを食べたものよ」

　1806年、イギリス中央部に位置するダービー州のデンビーで道路を建設中、粘土の層が発見されました。地元の実業家ウィリアム・ボーンが調査の結果、陶器に適した上質の土であることが判明。これが街の名を取った「デンビー」というメーカーの始まりです。1809年、創業者の息子の名から「ジョゼフ・ボーン」と名づけられた塩釉のストーンウエアを世に出し、一躍国際的な評判を呼びます。塩釉は、名前のとおり塩を釉薬として使った製法で、なめらかでツヤのあるブラウンのコーティングがかかるのが特徴。当時はまだガラスが貴重だったため、インクや薬、ジンジャービールなどの保存用ボトルとして広く使われたそうです。

　その後、デンビーは1800年代後半から、キッチン用品を拡大し、さらにトレードマークとなる、豊かな色彩を生み出す技術を確立していきます。'50年代になると、優秀なデザイナーを雇い、マーガレットの家にもあった「グリーンホイート」など、テーブルウエアのベストセラーを次々と生み出します。特に、それまで実用本位だったオーブン皿を、テーブルにも並べられるような洗練されたデザインにするという革新的発想が、人々を魅了したのです。

　「今、私が特に好きなのは、'50〜'60年代頃のジャグやフラワーベースなの。飾りけのない力強いシェイプで、表面に抽象的な柄がデザインされている。ショップでも扱っているし、セカンドハウスにも置いているわ。セカンドハウスのフラワーベースは、すっきりとした形と、微妙なトーンの色使い。派手ではないけれど、そこにあるだけで印象的な存在なのよ」

ストーンウエアのフラワーベース。マットな素材感に、グリーンがかった黄土色とニュアンスのあるグレーベージュがしっくりと。釉薬による白ラインの入れ方もおもしろい。

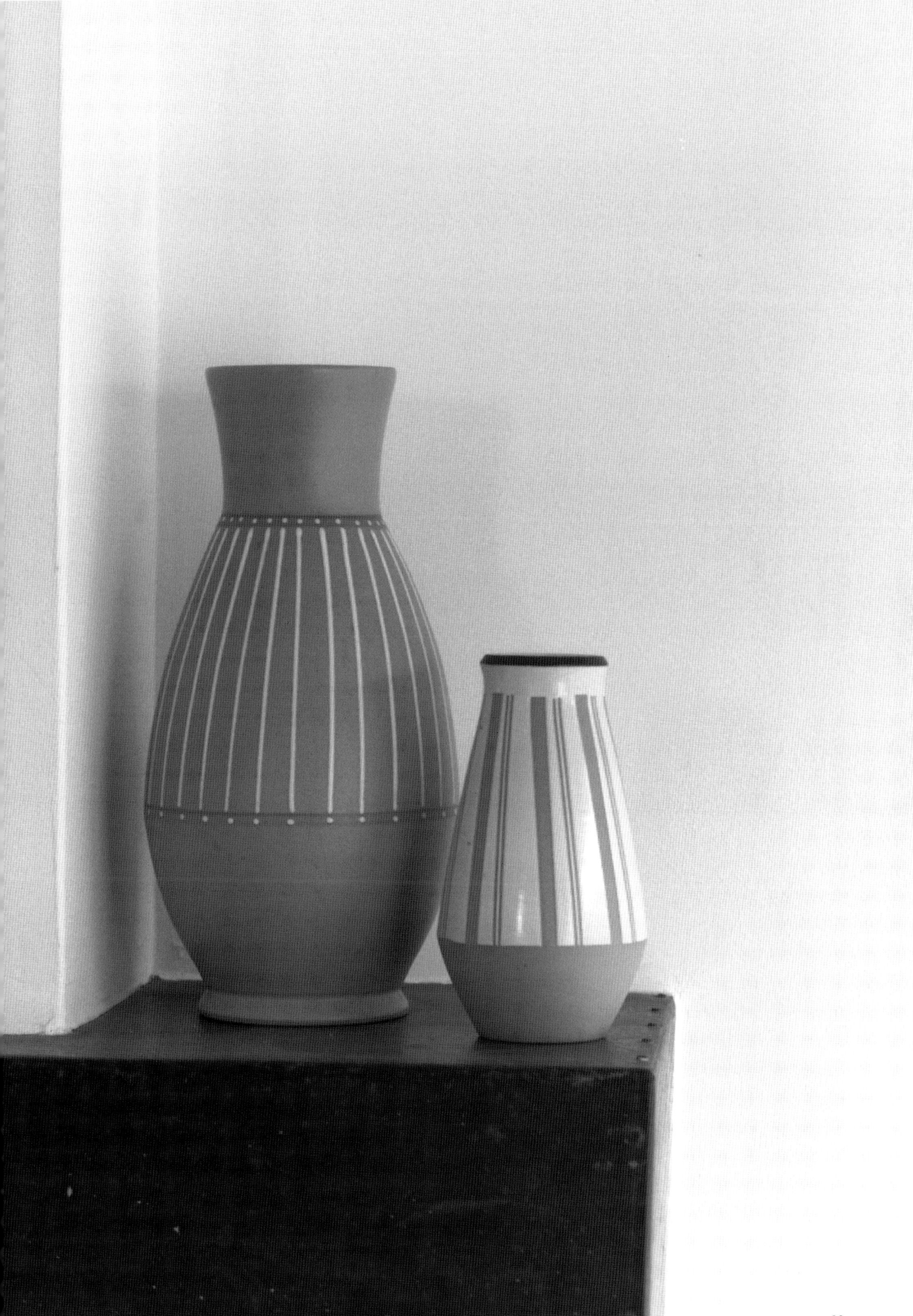

# FIVE MODERN HOUSES

# 訪れるたびに刺激を受ける
# 友人達の5つの家

「センスのいい友人の素敵な暮らしぶりを見るのは、とても楽しみ。
何度か訪ねたことのあるお宅でも、その後も改装を続けていたり、
インテリアも変わっていくことが多いでしょう。
私自身の見る目が変化して、前と違ったところに
興味が湧くこともあるの。そのたびにわくわくさせられるのよ」
そんなマーガレットが、今、とても刺激を受けるという
友人達の家を紹介してくれました。

待ち合わせて、一緒に各家に向かう道では、
マーガレットがうきうきしている様子が伝わってきます。
どのお宅でも、友人達と自然とインテリアに関する会話が始まっています。
「ここにガラスをはめたのね。素敵なアイデアだわ」などと感心したり、
「この壁の色はどんなペンキを使ったの？」と質問をしたり、
「このソファは座りやすい？　今、ソファを探しているのだけれど、
どんなものがいいかしら」と相談したり……。
みんな、素材にもデザインにも心地よさにも、とことん
こだわる人達なので、どこでも話が盛り上がること！
お互いにたっぷりと情報交換をしているのでした。
時々マーガレットに「この家で好きなところはどこ？」と質問してみると、
「伝統的な建築に、モダンな改装を加えたバランスね」とか、
「時代の違う家具を上手に組み合わせているところよ」など、
即座に答えが返ってきます。
彼女のインテリア魂が、また、しっかりと刺激されているようでした。

# さえぎるもののない眺めを堪能する
# 自然の中の"ビーチハウス"

## アン&ブルース・ペイジ

ANNE PAGE, BRUCE PAGE／ブルースはロンドン生まれ、オーストラリア育ちの経済ジャーナリスト、作家。著書のメディア王ルパート・マードックの伝記がベストセラーになり、英誌上で「イギリスでこの半世紀に最も経済に影響を与えた50人」にも選出される。アンは元都市計画のリサーチディレクター。子供が独立し、ロンドンのクラシックなジョージアン様式（18世紀）のフラットと、海辺の家を行き来する生活。

自分のセカンドハウスから自転車に乗ってやって来て、先にアンとブルースとお茶を飲んでいたマーガレット。私達が玄関でふたりと初対面のあいさつを終えると「こっちよ、こっちよ」と、せかすようにリビングに誘います。

リビングは一面のガラス張り。その向こうに小石のビーチが広がっていました。この日は、小雨が降ったりやんだりのあいにくの天候で、空と海はグレーがかっていましたが、見たことのないダイナミックな展望に圧倒されます。

「晴れていなくても、十分素晴らしい眺めでしょう！ さえぎるもののない眺めを、いつでも目の当たりにできるのよ」

波打ち際までの距離はほんの80mほどで、海岸の土地の権利もこの家のもの。あたりは希少種の海燕の営巣地として保護地区に指定されていることもあって、いつでも静けさが保たれています。

マーガレットは波打ち際を散歩していて、この四角い家を見つけ、以前から風情のある外観に魅かれていたそう。

「海側から見ると、長くてシンプルで、地平線に沿って建っている感じ。平屋だし、よけいな飾りがなくて、壁はビーチと似たような色合いでしょう。自然の中になじんでいて、よく見ないと見逃してしまいそうな佇まいが好きなの」

ある日、マーガレットは、庭の手入れを頼んだガーデナーから、この地区で'60年代に活躍したジョン・ペンという建築家の話を聞き、気になっていた海辺の家が彼自身の自宅として建てられたものであることを知ります。地元で催されたジョン・ペン設計の家の見学ツアーなどに参加するうちに、アンとブルースの夫妻とも知り合いました。

「ジョン・ペンは、作った時にこの家に"ビーチハウス"という、そのものずばりの名前をつけたんだ。当時からこの周辺の人は、ここをビーチハウスと呼んでいたので、何代目かの持ち主の僕らも、彼に敬意を表して、ビーチハウスという表札を出しているんだよ」

アンとブルースから、熱心に家の歴史などを聞くマーガレット。リビングの一部が書斎になっていて、壁一面が本棚、その手前に、2つの大きなデスクが並んでいる。

表の通りには"ビーチハウス"の表札が掲げられている。家はここからカーブした並木道に沿って70〜80m入ったところ。

平屋の屋上に上って、海岸線を確認。マーガレットの家からはけっこうな距離があるけれど、時々ビーチ沿いに散歩して来るそう。

海側から見た"ビーチハウス"。マーガレットがいつも散歩で見ていたのもこの姿。外壁はベージュの、屋根はブルーグレーの、それぞれ違った素材のレンガでできている。海風や海水に強い建材と施工がされていて、このガラス窓は、1969年建築当時の技術では最大の大きさだったのだそう。

リビング側からビーチを望む。けぶってわかりにくいが、砂浜の先に海が広がる。

右側がキッチン。奥が書斎。手前のダイニングテーブルと奥の仕事用デスクが同じサイズで、ともに黒いセブンチェアを合わせている。床は表面に凹凸を残したスレート材で、黒でもどことなく素朴な風合い。

部屋の中央に、オフホワイトのレンガで囲われたキッチンがある。ここもカウンタートップは黒で、モダンなしつらい。海側だけでなく、庭側の面もガラス張りなので、キッチンの向こうに庭のグリーンが見える。

海側から見ると右奥に位置する広いソファコーナー。ここだけに絨毯を敷き、茶系で温かみのある雰囲気にまとめている。ソファの両端に置かれた本棚兼サイドテーブルは、ソファと高さが揃えられている。

「柔らかいベージュのレンガの壁にモノクロ写真を飾るのって素敵ねえ」とマーガレット。

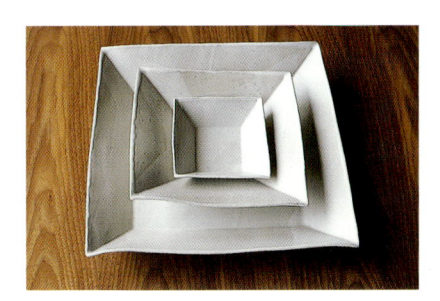

「シンプルでピュアなプレートは、使わずに重ねておくだけでも魅力的に見えるわ」

ビーチのアンバーの小石を木のプレートにこんもりと。ソファと色のトーンが合っている。

「僕らが1992年に、友人の紹介でこの家を見た時には、建物がずいぶん荒れていたんだ。前のオーナーは別荘として、たまにしか使わなかったらしい。でも、とにかく素晴らしいデザインだと思った。バウハウスの流れを汲んで、シンプルだけれど、エレガント。ふたりとも気に入って、すぐに買うことに決めたよ」

もともとの建築は海から見える四角い平屋の母屋だけ。ふたりは、海の反対側にL字型の建て増しをして、寝室やバスルームをそちらに移動。元からの母屋を広いまま仕切らずに使うことにしました。部屋の真ん中にオフホワイトのレンガを使って大きなオープンキッチンを作ります。そして、海から見て右をリビングに、左を書斎に、手前には大きなダイニングテーブルを置いています。

「1部屋にいろいろな要素があるから、全体のインテリアを統一する必要があったの。それで、まずは内装を決めたのね。床は研磨をかけない黒いスレート（粘板岩）にして、天井をダークな茶の木材に。家具はそれに合った色や素材感のものを選んでいったのよ」

「だいたい、この家と同じ'60年代にデザインされた家具が多いね。色も床になじむように黒を中心にしたんだ」

ダイニングテーブルと、書斎の2つのデスクは天板のデザインは違いますが、実は同じサイズで同じ高さ、脚も同素材。この3つを並べて、テーブルクロスをかけて、なんと30人の着席パーティをしたこともあるとか。テイストが合っているからこそ、優雅に感じられる演出です。

話をしているうちに、空が少し明るくなって、また海の話題に。ブルースは、海燕が小魚を捕りに海に飛び込むのを眺めながら、マーガレットと同じく5月から10月まで毎朝海で泳ぐそう。それから海を見ながらアンとふたりで朝食。その後、広い部屋で海の存在を感じながら執筆や仕事。暇な時には、趣味のヨットの修理をしているとか。

「この前、ふたりにランチに招待してもらった時、数時間の間に、太陽の光がどんどん変わって、そのたびにビーチや海の色もまったく違うふうに変化していったの。それを見ているのが本当に楽しかった。こんな場所に住めるなんて、なによりのぜいたくよねえ」

89

# ミッドセンチュリーの家具を生かした
## スパンハウジングのフラット
### リサ＆オリバー・チャイルズ

SPAN HOUSE

LISA CHILDS, OLIVER CHILDS／リサはインテリアや料理関連の本の編集者。オリバーは20世紀の家具を扱うディーラーで、ネット上でインテリアショップを展開。ロンドン南西部、リッチモンド近くのフラットで、飼い犬のパーソン・ジャック・ラッセルのルーファスと、ふたり＋1匹の暮らし。

ルーファスのお散歩中。後ろに見える建物は、ふたりのフラットと同じく2階建てにベージュのタイルと赤いレンガの外観。

　実はマーガレットがリサとオリバーのフラットを訪ねるのは、これが初めて。ショップで、オリバーと家具の取り引きがあるため以前からの知り合いでしたが、ふたりの住まいが郊外ということもあって、訪問の機会に恵まれませんでした。前にオリバーに自宅の写真を見せてもらった時、マーガレットは彼らの優れたセンスを確信。強い関心を持っていたそう。ということで、リッチモンド郊外に向かう車中の、マーガレットのうれしそうなことといったら。遠足に向かう子供のように、声が弾んでいます。
「家具の選び方に興味があるし、フラット自体も素晴らしいに違いないの！」

　ふたりが住むフラットはスパンハウスと呼ばれる集合住宅。スパンハウスとは、イギリスで'50～'70年代頃にスパンデベロップメント社という開発・施工業者によって作られた、約60カ所の集合住宅のこと。その開発・設計計画をスパンハウジングと呼びます。当時ムーブメントを起こした住宅は今も各地に残っていますが、最近ではそれほど注目されない存在になっていました。直線的でモダンな建物、コンパクトでも使いやすい室内の作り、開発時から将来的な景観を見越した植栽、コミュニティに安心感を与える共有スペースなどが特徴。戦後、急激に人口が増える中で、上質で使いやすい家をリーズナブルな価格で提供するという目的も果たしました。当時は小さな子供のいる家族などが多く移り住み、充実した暮らしを満喫したそう。またデザインにこだわりのある建築家、ジャーナリスト、広告関連の仕事に就く人々も多く集まってきました。

　自宅近くにあるスパンハウスの佇まいに魅かれていたマーガレットは「忘れ去られたいいもの」を広める一環として、2005年にウィグモアストリート・ショップで『スパンハウジング展』を開催。当時や現在の建物や室内の写真、住人達の賞賛の証言を集め展示しました。

「僕らはスパンハウスに住んでみたくて4年前に、この辺りに探しに来たんだ。この地区は自然のままの広い河原が残るような郊外なのに、ロンドンの中心までもバスと電車で30～40分程度で出られて便利。で、探しに来たら、すぐに見つかっちゃって（笑）。リビングもキッチンも窓が大きくて、目の前に木が見える。リサとその場で決めたんだよ」

　リサとオリバーの住むスパンハウスは、広い敷地の中に、少しずつ違った作りの2階建てが11棟、169戸が住んでいます。棟の間には芝生や長い年月をかけて育った大小の木々。ルーファスの散歩に出ると、ときたまよそのフラットの住人とあいさつをしたり、立ち話をしたり。自然な、ほどよい距離感が感じられます。

家に合わせてキッチンにもミッドセンチュリーの収納家具や、コンパクトなブレックファーストスツールを置いている。ふたりとも料理は得意だけれど、夕食はリサの帰宅を待ちきれずに、自宅で仕事をしているオリバーが作り出すことが多いとか。

キッチンの幅いっぱいに横長の窓がある。コンパクトだけれど、外のグリーンが見え、開放感も高い。マーモリウムという天然素材の床材を使い、建築当時と同じチェッカー柄に。家具の専門家であるオリバーに、古い製品の正しい見分け方を質問中。

このアングルが、マーガレットのお気に入りポイント。「直角に棟続きになった作り、中庭や吹き抜けのある設計がスパンハウジングの典型の一つなのよ。お互いに気配は感じるけれど、くっつき過ぎていないのがいいでしょう」。半世紀前に植えられた木々が育ち、景観をより魅力的にしている。

リビングにはモダンな意匠のグレーの石の
暖炉が。ミッドセンチュリーの肘掛け椅子に、
伝統的なスツールをオットマンとして組み合
わせ。床の座布団はルーファスのベッド。

(下)チェストの上にはアングルポイズのライトやプールの食器。アルヴァ・アアルトのガラスのベースにダークパープルのスイートピーが。
(右)マーガレットがしきりに座り心地をチェックしていたソファは、ロビン・デイの復刻もの。「暖炉の前に置く寝椅子を探しているの。叔母もロビン・デイのオリジナルを持っていたのだけれど、私がモダンなデザインに興味を持つ少し前に売ってしまったのよ。残念だわ」

「ここを手に入れてから4年間、ずっとリフォームを続けているんだよ」

まずは床をはがして配管と配線を新しくして、リビングはサイザル麻のカーペットに、キッチンは建った当初と同じくチェッカーのタイルに。夏には窓枠の取り替え工事を予定しているそう。

「この棟は1954年の建築で、窓の木枠も50年以上使われてきているの。文化財の指定を受けているから外観を変えることはできなくて、工事でも同じ木枠を作るのよ。もちろん、私達はアルミサッシにしたいなんて思わないけれど」

窓枠が完成したら、窓枠と天井のペンキ塗りを同時に。さらに建った当時のキッチン台を譲ってくれる住人を見つけたので、その設置・補修工事も。

「まだまだ何年もかかりそうだけど、ふたりで相談しながら、少しずつ改装していくのも楽しいプロジェクトだよ」

大きな窓のあるリビングとベッドルームの壁の色は、淡いグリーンです。

「入居時は白だったのだけれど、窓のすぐ外に緑の木があるから、木に続くような色にしない？ そうすればもっと広く感じられるはず、とオリバーと話し合って。それで薄いセージ色を選んだの」

「この家はモダンだけれど、シャープなモダンではないと思うんだ。外観にもベージュのタイルや赤いレンガが使われていて、周囲の自然になじんでいる。少しひなびたところがあるから、その雰囲気を大切にしたいと考えたんだよ」

会話をしていると、リサとオリバーは、交互に答え、お互いを補足し合い、考えや好みが近いことがよくわかります。オリバーは大学で工業デザインを学んだ後、8年間、20世紀の家具を扱うインテリアショップに勤めていました。リサは、たまたまそのショップのオーナーの本を編集。出版記念パーティでふたりは知り合ったのだそう。

「だから、もともとインテリアの好みが合うし、ふたりとも即決タイプだものね。そう言えばここに住もうと決めた時も、壁の色を決めた時も、本当にすぐ決まってしまったわねえ（笑）」

リビングの端から端まで一面に広がる窓。「外の木の種類はわからないのだけれど、50年の間に、こんなに大きく育って、2階にあるわが家の目を楽しませてくれるんだよね」。テレビの下の木製のチェストは、オリバーの祖父が第一次世界大戦の時に、身の回りのものを入れて戦地に持参したものなのだそう。

ベッドルームにも横長の窓があり、壁の色は淡いセージ色。大型のジャカードのベッドカバーも"ひなびたモダン"テイスト。

　わくわくした表情のマーガレットに「この家のどこに一番魅かれる？」と聞くと。
「まずは、大きな横長の窓の存在ね。この開放感は、本当にスパンハウスらしくて魅力的。コンパクトな部屋を気持ちよく広く感じさせているのよねえ。それともう一つが、ふたりの選んだ家具や雑貨の組み合わせ方よ」
　例えば、リビングではミッドセンチュリーのモダンな曲げ木の椅子の隣に、イギリスの伝統的な職人技のスツールを合わせて置いたり、祖父が使っていた19世紀のチェストも同じ部屋に配し、しっくりとなじませています。
「ふたりはスパンハウスに住んで、フラットのオリジナルデザインにしっかりと敬意を払って改装をしていると思うの。だからと言って家中をミッドセンチュリー一色にはしていないのね。おじいさんの家具を使ったり、お父さんのテディベアを飾ったり、おばあさんの描いた絵をかけたり。そういう家族に伝わってきた古いものと、50年前のミッドセンチュリー家具のコレクションと、現代のものを、うまくミックスさせているのよ。そのコンビネーションが見事だし、インテリアに心が通っているように思うわ」

　オリバーは、仕事でも自分が好きなものしか扱わないそう。ふたりの好きなものがはっきりしていて、家にもそれだけを置く。スパンハウジングのデザインの包容力と住む人の明快な志向が、全体の調和を生み出しているようです。

(左上) チェストの上の絵は祖母の作品。白い陶器はフラムポッタリーという名の18世紀から作られているベース。
(右上) 壁際に曲げ木の学校用椅子を2つ並べて、着替えや本などをちょっと置くのに、便利に使っている。
(左下) オリバーの祖母、父、叔父のものだったテディベア。伝統的な子供用椅子の上に、3匹ちょこんと。
(右下) 鏡台にはフラワーベースが2つ。ブルーのカップに、よく使う色のきれいなアクセサリー類をまとめて収納。

# イギリスの伝統的な家を
# モダンテイストで味つけ

## マータ＆トビー・クラーク

### CLASSIC UPDATE

MARTA CLARK, TOBY CLARK／トビーはマーガレット・ハウエルのメンズのデザインコンサルタント。マータはスペイン出身で子供靴のデザインリサーチャー。ロンドン南部の静かな住宅街ブラックヒース地区の、1786年建築の家を2年前に購入。3歳のルカ君と3人で暮らす。

アンティークマーケット巡りの話で盛り上がるマーガレットとマータ。白いスクエアな陶器のシンク、木製の作業台、壁のマットな白いタイルなど、素材も自分達で選んでいったそう。

いつの間にか裏庭のガーデンテーブルで、マーガレットとトビーの仕事の打ち合わせが始まっていた。建物の壁の白い部分が地下1階、レンガの部分が1～3階に当たる。

業務用レンジ回りのキッチン道具も、それぞれに味わいがある。掛け時計や照明のスイッチプレートは、探し回ってほどよくモダンなデザインのものを見つけ出した。

「実は、結婚した当初はモダンなフラットに住んでいたんだ。ちょうど、ロンドン中心部に有名な若手建築家のモダンマンションが建つと聞いて、次はそこに越そうかと検討していた。でも、その頃ルカが生まれることになって、もっと広い家が必要に。それでこの一戸建てを見つけたんだよ。ここなら自分達らしく改装もできると思ったんだ」

建物は、地上3階、地下1階建て。玄関に面した表通りより裏庭側が1フロア分低い土地のため、地上階はもちろん、地下にも光がさんさんと入り込みます。

「2年前に越してきて、まず最初に手を入れたのは、この地下のキッチンと続きのリビングなんです。庭もキッチンから出られるので、子供が起きている時間のほとんどを、このフロアと庭で安心して過ごせるようにしようと思って」

確かにルカ君はリビングでパパとミニカーで遊んだり、キッチンでママにおやつをもらったり、庭で走り回ったり……このフロアをおおいに満喫している様子。マータが安心できるのもわかります。

リフォームでは、まずキッチンとリビングの間の壁に大きな素通しの窓を開けて、キッチンからリビングが見えるように、そして庭側の明るさがキッチンを通してリビングにも入るように工夫しました。床はミッドセンチュリー時代と同じ施工でチェッカー柄に。

「マータはよく、グリニッジのアンティークマーケットに通っているのよね」

「なにも掘り出し物の見つからない日も多いのだけれど。ミッドセンチュリーの時代の家具も、もっと古い雑貨や最近のキッチン道具も。このキッチンだけでもマーケットで見つけたものがたくさんありますね。ぱっと揃えてしまうより、少しずつ集めるのが好きみたい（笑）」

キッチンの一方の壁には、4個口のコンロに、大型オーブンの付いた業務用レンジがあり、ステンレスの素材感が全体をきりりと見せています。

「マータは、とても料理が上手なのよ。このコーヒー一つとっても、本当においしいでしょう。だからキッチンが、飾り物っぽくない。置かれているもの、それぞれにしっかり理由があって、選ばれてそこにあることがわかるの」

96

キッチンとリビングの間の壁に開けた素通しの窓で、ミニカー遊びをするルカ君。手前には、ブレックファーストスツール。椅子の黒い座面と床のチェッカー柄がいいコンビネーション。床はミッドセンチュリー時代同様、水圧で固めたセメントにハンドペイントで着色した。

ジョージアン時代の色を再現したペンキで、壁に大胆な試し塗り。しばらく塗ったままにして、光による色の見え方の変化などを確認してから、使う色を決めるつもり。

トビーの仕事部屋。デスクはガラスの天板で、上にはアングルポイズのライトが。この奥にマーガレットと同じヴィツーのシステムシェルフが来週到着予定。壁塗りは当分先。

ジョージアン様式は、当時としてはモダンな建築スタイルだったそう。窓が大きく、階段がプレーンで狭め、棚が多く、全体に飾りが少ないから、現代建築に通じるものがある。

マータの仕事部屋。奥の棚は、家の建築と同時に作られたことがわかっているそう。「200年以上前の棚と、モダンなライトを一緒に並べるセンスが新鮮ね」とマーガレット。

　最初に家に入った時、玄関脇の大きな壁に、10色のペンキの跡があるのが目に飛び込んできました。
「壁の色を決めるために、試し塗りをしたんだよ。この家が建ったジョージアン時代のペンキの色を再現している工房を見つけたんだ。本来は、歴史的建造物の修復のためのものだけれど、うちにも、きっと合うだろうと思って」
　7重に張られていたさまざまな色や柄の壁紙をはがして、オリジナルの壁を出してみると、イギリス人がよく言うボーン（骨色）、少しだけベージュがかった白だったそう。改装の終わった地下のキッチンとリビング、2階のバスルームは、すでにその色で塗っています。
「1階はラジエーターや配線の工事が終わらないとペンキが塗れないから、時間をかけてよく考えようと思って。住みながら内装をやっていくと、どこから、どう光が入ってくるとか、どこがいつ美しいかとかが、よくわかる。こうしてゆっくり試せば、光の当たった色の変化なんかも、見られるからね」

　現在改装に取りかかっているのが、この1階部分。玄関の他には、マータとトビーそれぞれの仕事部屋があります。トビーがマーガレットに部屋を案内しつつ、もうすぐオーダーした棚が届くことを話すと……、なんとそれは、マーガレットがセカンドハウスに最近しつらえた棚と同じメーカーということが判明。ふたりとも初めて知って、びっくり。
「何カ月か前に、その店で世界の定規やメジャーの展覧会があって、オフィスから近いからたまたま一緒に見に行ったの。でも、お互いそこの棚を買ったなんて、まったく知らなかったわ（笑）」
　あとでシャイなトビーがひとりの時に、「マーガレット・ハウエルのスタッフって、みんな、家にもこだわりがあるのね」と、しみじみ聞いてみると。
「たぶん、マーガレットが、デザインや品質にとてもこだわる人だからだと思う。イギリスでも、そういうこだわりを持ち続けて成功も維持しているデザイナーは、そんなにいない。だから品質とか物選びにこだわりたいタイプの人が、彼女のもとに、集まるんじゃないかなあ」
　壁の色から小さな素材一つまで、妥協せず、納得がいくまで考えたり試して選ぶ。トビーとマータの家作りの姿勢が、そこここから感じられました。

トビーの仕事部屋の暖炉の上には額が並んでいる。右は1901年生まれの大叔父の洗礼式の服。「なんでもフレームの中に入れるのが好きなんだ」。試し塗りのペンキのビンも。

暖炉の上には、色のきれいな石鹸と、やはりフレームに入れた古い絵を飾っている。

(左) 大きなファイバーグラス製のバスタブを中央に置いた2階のバスルーム。バスタブの両側にスペースがあるので、子供の入浴時にふたりで世話ができて便利とか。窓も大きく、昼間の入浴が気持ちいい。フローリングの木幅が広いのも、ジョージアンの特徴。
(右) 突き当たりのレンガは古いまま利用。ガラスの仕切りを作り、白いタイルの壁にツヤ消しステンレスのソープラックを付けた。

並んだ椅子の上に白黒のブランケット。カーテンを付けたのは寝室だけ。ラジエーターは昔の病院用の細身タイプを探し、黒く塗ったそう。

「2年前、家を買ったばかりの頃、マーガレットとパリに布の買い付けに行ったんだ。家の改装について相談したら、"ジョージアンの家は明るいしシンプルだから、きっとやり方次第で現代的で心地よい家になる"と言ってくれて。僕らがこの家を買った時に考えたことと同じだったから、うれしかったよ」

マーガレットは、それから間もない頃に、この家に一度遊びに来ました。
「その時にね、イギリスの古い伝統的な家に、モダンなものをうまく組み合わせていくきざしを感じたの。それで、この先この家が、どういうふうに変わっていくのか、すごく楽しみだったのよ」

今回、マーガレットがなにより感心していたのは、バスルームの素材選び。
「シャワーコーナーに大きなガラスの仕切りをつけたのねえ。窓側の壁は、昔のままのレンガでしょう。サイドは白いタイル。そこに、ガラスを加えたコンビネーションがいいわよねえ。モダンだし、部屋を広く見せている。建築的な素材使いのセンスを感じるわ」

さらに、トビーによると、壁のステンレスのソープラックは、1年以上探して、やっと素材感と雰囲気の気に入るものを見つけ、取り付けたばかりだそう。
「ソープラックも、照明スイッチのプレートも、ただシャープなだけではないのよね。この古い家に合うテイストや素材感で、そのうえモダンであるものにこだわって、きちんと見つけるのはさすがね。前回もそうだったけれど、今日も、私はインスピレーションをもらって帰るわ」

3階の広いベッドルームは基本的に白で統一し、黒をきかせ色にしている。ベッドは気に入るものが見つからず、まだ探し中。

# コンパクトなフラットを
# 広くセンスよく使うデザインの工夫
## スザンヌ＆ハーヴィー・ラングストン＝ジョーンズ

INSPIRATIONAL DESIGN

SUZANNE LANGSTON-JONES, HARVEY LANGSTON-JONES／スザンヌは、布アーティストとして活躍しながら、以前はマーガレット・ハウエルのショップスタッフとして勤務。ハーヴィーは建築家。有名事務所にいた頃は、美術館などを手がけていた。4年前に独立し、モダン住宅を得意とする新進建築家として人気に。高級住宅街のノッティングヒルのフラットで、3歳のジョゼフ君、1歳のテオ君と4人暮らし。

穏やかな話しぶりのふたり。リビングは黒く塗ったフローリング。グレーの大きなソファを置いた、モダンなコーディネート。

(上)ベッドサイドの壁には、白いベースに生けた白い花や、白い絵、紙で作った靴などをフレームに入れて飾っている。
(下)リビングの窓側から入口を見たところ。正面の棚の後ろにベッドが隠れている。右の壁に沿って大きな収納がある。
「いい照明は高いから(笑)、業務用の安いのを壁との間につけて間接照明にしてみました」とハーヴィー。

おしゃれな人たちの行き交うノッティングヒルの表通りから、少しだけ奥に入ると、こぢんまりとした公園が見えてきました。その公園に面したヴィクトリア時代中期（19世紀）のレンガの建物の1階に、彼らのフラットはあります。
「僕は、若い頃からずっとこのあたりに住んでいるんです。ノッティングヒルは、若者文化もエレガントなものもモダンなものも、全部ミックスされたような地区でおもしろい。建築事務所を持つ時も、迷わずこの街にしたんですよ」
「彼は、オフィスが近いから家にランチを食べに帰ってくることもあるんですよ」

　このフラットには1年前に越してきたばかり。とても人気の高い地区ということもあって、やっと手に入れた、キッチンに2ベッドルームのコンパクトな物件です。
「1部屋は子供部屋にするとして、もう一つの、この部屋をベッドルームだけで終わらせたら、部屋数が足りない（笑）。それで、ベッドの周囲を棚で囲って、見えない工夫をした。残った窓側の部分をリビングとして使っているんです」
　大きな窓から光が入り、リビングのソファに座っていると心地よくくつろげます。天井がひときわ高く、壁が白いので広く感じられ、開放感もたっぷり。
「ベッド回りの棚も、彼が全部サイズを考えて設計したんですよ。棚の裏が白いので、絵をかけようかとも思ったのだけれど、朝起きた時に、窓から入ってくる光が反射し合って、とてもきれいだったんです。だから、ベッド回りは白いまま楽しむことにしました。棚の上の飾りも白いものだけを選んでいます」
　一方、マーガレットは、部屋の入口から続く壁だと思っていた部分が、実は収納棚であることに気づいて感心。
「ハーヴィーとスザンヌは、気に入った地区で見つけたスペースを、自分達の目的に合った形にデザインし直しているのね。しっかり考えて、ちゃんと目的を達成しているのが、彼らしいわ。一つ一つの工夫が、興味深いわね」

「ベッド回りは白で統一しているけれど、リネンの白、壁の白、陶器の白……と全部テクスチャーが違う。光が当たると、さらに違う見え方をするのがおもしろくて」

明るいリビングで話し込むマーガレットとハーヴィー。当時の建物は1階部分の天井が特に高く開放感がある。窓はこれからペンキを塗り、ウッドブラインドをつける予定。

(左上)庭に続くドアの他、左側にも窓があり、明るいキッチン。右側はスザンヌとハーヴィーの工夫をたっぷり詰め込んだ、使いやすいキッチン収納。
(右上)スタッキングチェアは1脚分のスペースに、たくさん置けて便利。
(左下)左はテオ君用で、子供用の椅子の補助具を利用。右はノルウェーのトリップトラップ。子供用の椅子も並んでいると味わいがある。

　裏庭に面しては、子供部屋とキッチンがあります。こちらも白い壁に黒いフローリングのベースは同じですが、リビングよりもっと温かな印象です。
「ペンキを塗っていない自然のままの木の家具を置いているせいでしょうか。改装中の子供部屋は、白いベビーベッドを除けば、他の収納棚やケースは、ナチュラルウッドが中心なので」
　また、キッチンのテーブルと椅子はアーコール。こちらも自然の木の色が年月がたって深みが増したもの。モダンな中にぬくもりを感じさせます。部屋の隅に重ねられたスタッキングチェアと、子供用の椅子が、白い部屋のアクセント的な存在にもなっていました。
「ライトの影響もあるかもしれないですね。キッチンにはペンダントライトを付けたので、スクエアな箱だけの部屋に比べて、温かみが出たと思います」
　モダン設計で人気のハーヴィーに、子供ができてから自分のデザインに影響

があったかどうかを聞いてみると。
「デザインのテイストは、たぶん変わらないですね。ただ、うちの子供部屋のように、ベースはモダンでも使い手によってイメージを変えられる。年月を経て変えていくこともできる。そういう作り方をしたい、とますます思うようになりました」

　土掘り遊びに熱中するジョゼフ君、テオ君を遊ばせながら、裏庭の片付けや植物の手入れをするスザンヌ。
「家の改装を進めながら、今度は庭を本格的に始めようと思っているんです。ここにレンガを積んで花壇を作って、奥には子供達が遊べるような小さなコテージを建てたい。それから壁には、一面にジャスミンを絡ませようと思っています。もともとガーデニングは好きなのですが、やはり、窓からの眺めはインテリアと同じように大切。家の雰囲気を作る大きな要素になると思うので。これからの計画が我ながら楽しみなんです(笑)」

(左上)ブルドーザーが頻繁に出てくるイギリスの人気子供番組『ボブとはたらくブーブーズ』の影響か、ジョゼフ君は、とにかく土掘りが好き。「花壇を作っても、どこかジョゼフが掘ってもいい場所を残しておかないと(笑)」
(右上)子供部屋も大きな窓が特徴。高い位置にモダンな業務用のライトが。
(右下)ジョゼフ君は今度はスコップで掘り出した根っこを大事に持ち歩き。

## 光をたっぷりと取り込んだ
## 吹き抜けの大きなガラス窓の家
### シーラ&ウィリアム・ラッセル

SHEILA RUSSELL, WILLIAM RUSSELL／ウィリアムはマーガレット・ハウエルのウィグモアストリート・ショップを設計した建築家。5年前、アーティストのアトリエなどが集まる注目地区、ショーディッチに自宅を建築。やはり建築家の妻シーラ、8歳のフィンリー君、6歳のボニーちゃんと暮らす。

# ARCHITECTS OWN BUILD

吹き抜けのリビング。西側の3.5階の位置にルーフテラスを作ることで、隣のビルとの間に空間をあけ、光が入るよう工夫している。

マーガレットがウィグモアストリート・ショップの物件を見つけた時、誰に設計を依頼するか、ずいぶん悩んだそう。たまたま近くに住むショップのインテリアバイヤーのジョーが、できつつあるこの家の様子をずっと見ていて、感心。ウィリアム・ラッセルをショップの建築家として提案しました。ちょうど、彼の作品が雑誌に取り上げられ始めた頃で、マーガレットも気になっていたということで、一気に話が決まったのだとか。

東向きの広いキッチン。「作りかけの料理も、使ったお皿もとりあえず置いておけるでしょう。大勢来ても乗り切れるのよ」とシーラ。

「店が完成するまで、よく打ち合わせをしたわねえ。ウィリアムはこちらの意図をよく汲んでくれるし、しっかり考えて、素晴らしいアイデアを出してくれるの」
「マーガレットは希望が明確だから、やりやすかったんだ。それとあの店は、天窓があったり、天井の高さに段差があったり、スペース自体がおもしろくて、とても楽しい仕事だったよ」

ロンドンは建築規制が厳しいため、新しい家を建てるのに困難を伴います。特に個人住宅で場所も中心部となると、普通と違ったことをするのは至難の業。
「たまたまいい場所に空き地を入手したので、果敢に地下1階、地上3階建ての住宅建築に挑んでみたんだよ。そうしたら、建築許可を取るのにまず2年、建てるのに2年かかったんだ(笑)。その後、もっと規制が厳しくなって、もう、今では同じ家は建てられないね」

ウィリアムが家作りで一番大切にしたのは、光をたくさん取り入れること。
「イギリスの昔の家って、あまり光が入らないでしょう。僕はとにかく光にあふれたスペースを作りたかった。だから、家族が一番長い時間集まっているキッチンとリビングを最上階にして、吹き抜けのガラス張りにすることにしたんだよ」

東・南・西と3面がガラスのため、朝から夕方まで日がさんさん。天気のいい日には窓を開け放して、風も楽しむそう。
「確かに、この部屋なら、ずっといたくなるわよねえ。私も、空の色や光の変化をずっと感じていたいわ」

ウィリアムと話をしていたら、近所の友達を連れて子供達が帰宅。さっそくパパに甘えるフィンリー君。夕方でも明るくて居心地がいい。

壁はコンクリートの打ち放し。奥行きがあるので本を並べるのにぴったり。「椅子は、捨てられていたのを拾ってきたんだよ(笑)」

堂々としたキッチンも、マーガレットのこの家のお気に入りです。
「こんなに広くて使いやすそうなキッチンが作れるのも、ウィリアムが一から設計したからよねえ。そして、この収納扉の美しい色。チーク材の扉にコンクリートのトップという素材の組み合わせ方も斬新で、惚れぼれとするわ」
　扉は、大きなチークの一枚板を手に入れ、それを薄く削って、一枚一枚張っていったため、すべての木目が揃っているのだそう。少し離れたテーブルやリビングから見ると、10枚の扉に繰り返される木目の端正な表情に魅了されます。

　ウィリアムがこの家を建てるにあたり、"光の取り入れ方"の次に考えたのは、"部屋の流動性"でした。
「今は、地下にある2部屋を、人に貸しているんだ。来年、そこを作り替えて子供部屋を2つに分ける予定なんだよ。もしかしたら、いつかオフィスも、そこに移すかもしれない。将来子供が独立したら、また人に貸すこともできるし。そういう将来の使い勝手を考えて、中をフレキシブルに使える設計をしたんだ」

「ウィリアムの設計姿勢は、見た目だけじゃなくて、心地よさや機能性を重視するモダンデザインのお手本ね」
「そういえば僕の父親は、日曜大工が大好きで、いつも傷んだ家に引っ越しては、改装をしていたんだ。直すところがなくなっちゃうと、つまらなくなって、また引っ越すんだよ（笑）。僕は子供の頃、いっつも改装中の家に住んでいたね。
　僕自身は引っ越しはしないけれど、この家をいつも流動的に変化をつけながら住もうと思っている。これって、父親譲りなのかもしれないなあ（笑）」

ウィリアムの曾祖父は1900年に領事として神戸に赴任したそう。その時持ち帰った中国の棚をモダンなリビングに置いている。

子供部屋はリビングの下のフロア。なんとフィンリー君はブランコを思いきり揺らしていた。コンクリートだからこその特典。

洗面台のシンク、蛇口などもシンプルでモダンなものをセレクト。周囲の収納扉などはこげ茶に着色したプライウッドを使っている。

目を引くモダンな外観。最上階の右側がガラス張りのキッチン&リビング。左側がルーフテラスになっている。手前が道路、右側が小学校の校庭なので、一日中光が射し込む。

ルーフテラスから、リビングを覗き込むこともできる。天気のいい日は、ガラスドアを開け放しておくと風が通って気持ちがいいそう。

おわりに
# POSTSCRIPT

In England we have a saying, 'Make yourself at home', which means make yourself comfortable, feel at ease and be yourself. We choose our house by how it feels, even before we personalise it with our own belongings. Our homes are a refuge providing a sense of security, but life's changing circumstances often prompt us to move.

I find new spaces and places a stimulating challenge. Perhaps this is linked to a fluid aesthetic, imperceptibly evolving, that can be realised in a fresh environment.

Having lived in an Edwardian house, and a 1960 house, I now have aspirations of working with an architect to design one of my own. But as yet I do not know when or where......

I hope you will find as much interest and inspiration from the photographs and sentiments expressed in this book as I have had in visiting my friends' houses, and working closely over the past year with Lee Magazine.

Margaret Howell    September 2006.

イギリスにはMake yourself at home（メイク　ユアセルフ　アット　ホーム）という表現があります。心地よく、くつろいで、遠慮しないでくださいね、という意味です。

　私達は家を選ぶ時、自分の家財道具も置かず、まだガランとした状態を見て決めるので、家から受けるイメージが大切な判断材料になります。

　家というのは、私達にとって、ほっと安心できる避難所的な存在ですが、しばしば家庭や仕事などの状況の変化で、その避難所（家）を変える必要に迫られます。

　私にとって、新しい土地や家に移るということは刺激的なチャレンジでもあります。たぶんそれは、新しい環境、家によって、自分でも気づかないうちに美意識や志向の変化が起きることと関わっているのでしょう。

　エドワディアンスタイルの家と、1960年に建てられた家に住んでみて、今、建築家とともに自分自身の家を設計、デザインしてみたい気持ちが生まれています。それがいつ、どこでのことなのか、まだ自分でもわからないのですが……。

　私が友人達の家を訪ねた時に感銘したことや、LEEとの本作りの仕事を通して得た思いなどが、この本の文章や写真に表現されています。本を読んで、その時々に私が抱いた興味やインスピレーションを、皆さんも感じていただけたらうれしいです。

マーガレット・ハウエル　2006年9月

SPECIAL THANKS TO
FIONA ADAMCZEWSKI, ANNE AND BRUCE PAGE, LISA AND OLIVER CHILDS,
MARTA AND TOBY CLARK, SUZANNE AND HARVEY LANGSTON-JONES,
SHEILA AND WILLIAM RUSSELL, JO BARBER,
YOSHIKO KIMURA, YOKO MORIMOTO, HIROMI MIZUTANI

## マーガレット・ハウエル／MARGARET HOWELL

ファッションデザイナー。1946年9月5日、イギリス南部サリー州生まれ。ロンドンのゴールド・スミス・カレッジでファインアートを学ぶ。アンティークマーケットで出会ったシャツに魅かれ、1970年にメンズシャツを発表。評判を呼び、1977年、ロンドンに初のショップを持つ。1981年に日本上陸。以降、上質で洗練された服で、おしゃれな大人達を魅了し続ける。1999年にハウスホールドグッズのラインをスタート。2002年、ロンドンの旗艦店ウィグモアストリート・ショップをオープン。その後もロンドン、パリ等に新ショップを展開。モダンブリティッシュデザインに造詣が深く、インテリア分野でも一目置かれる。

ブックデザイン／茂木隆行
GRAPHIC DESIGNER／TAKAYUKI MOTEGI
撮影／富士 晃
PHOTOGRAPHER／AKIRA FUJI

取材・構成／LEE編集部
EDITORIAL／LEE
ロンドンコーディネーション／野原節子
COORDINATOR／SETSUKO NOHARA

協力／(株)アングローバル
COOPERATION／ANGLOBAL Ltd.

## マーガレット・ハウエルの「家」

2006年10月31日　第1刷発行
2015年 6 月 6 日　第9刷発行

発行人／田中 恵
編集人／水谷裕美
発行所／株式会社　集英社
　　　　〒101-8050　東京都千代田区一ツ橋2-5-10
　　　　　編集部 TEL.03-3230-6340
　　　　　読者係 TEL.03-3230-6080
　　　　　販売部 TEL.03-3230-6393（書店専用）
印刷所・製本所／凸版印刷株式会社

定価はカバーに表示してあります。造本には充分注意しておりますが
乱丁、落丁（本のページの順序の間違いや抜け落ち）の場合はお取り替えいたします。
購入された書店名を明記して小社読者係宛にお送りください。
送料は小社負担でお取り替えいたします。
ただし古書店で購入されたものについてはお取り替えできません。
本書の一部あるいは全部を無断で複写・製本することは、
法律で認められた場合を除き、著作権の侵害になります。
また、業者など、読者本人以外による本書のデジタル化は、
いかなる場合でも一切認められませんのでご注意ください。

©2006 MARGARET HOWELL　Printed in Japan
ISBN4-08-780444-5 C2077